AI 에이전트 레볼루션

조성민

AI 에이전트 레볼루션

발행	2025년 1월 15일
저자	문영상
디자인	어비
편집	문영상
펴낸이	송태민
펴낸곳	열린 인공지능
등록	2023.03.09(제2023-16호)
주소	서울특별시 영등포구 영등포로 112
전화	(0505)044-0088
이메일	book@uhbee.net
ISBN	979-11-94006-60-2

www.OpenAIBooks.com

AI 에이전트 레볼루션

조성민

목차

3 장: AI 에이전트의 기능과 응용

3.1 자율주행과 로봇 공학

3.2 가상 비서 및 챗봇

3.3 맞춤형 추천 시스템

3.4 금융 서비스와 AI 트레이딩

4 장: AI 에이전트의 경제적 및 사회적 영향

4.1 경제적 파급효과와 산업 변화

4.2 고용 시장과 직업의 미래

4.3 윤리적 문제 및 규제 과제

4.4 사회적 수용과 문화적 변화

5 장: AI 에이전트 도입 전략

5.1 조직 내 AI 에이전트의 배치 전략

5.2 데이터 관리 및 인프라 구축

5.3 인재 확보 및 교육 전략

5.4 혁신적인 비즈니스 모델 개발

8.4 사용자 경험과 인터페이스 디자인

9 장: AI 에이전트의 미래 전망

9.1 기술적 진보와 트렌드

9.2 초지능 AI 및 일반 인공지능의 가능성

9.3 AI 에이전트와 인간의 공존 전략

9.4 미래 사회의 역할 변화

머리말

OpenAI의 ChatGPT로 촉발된 생성형AI가 세상을 뒤흔들고 있다. 일부 IT 분야 종사자의 전유물이었던 AI가 모든 일반인들이 쉽게 사용할 수 있는 형태로 제공되며, 인간과 유사한 답을 내놓는 정확함에 모두가 열광하고 있다. 텍스트를 넘어 멀티모달을 지원하며, 기업의 업무 프로세스를 자동화하는 AI도구들이 지금 이 순간에도 쏟아져 나오고 있다.

AI 에이전트는 단순한 기술 혁신뿐만이 아닌, 우리의 일하는 방식과 생활 전반을 바꿀 수 있는 혁명적인 기술이다. 단순히 생산성을 높이는 것을 넘어, 우리가 일하고 생활하는 방식 자체를 바꿀 수 있는 잠재력을 가지고 있다. 이제 AI 에이전트 기술은 우리 앞에 높인 거대한 기회이자 도전이다. 이 기술을 어떻게 발전시키고 활용하느냐에 따라 우리의 미래는 크게 달라질 것이다.

AI 대전환 시대. AI 에이전트 레볼루션은 이제 시작이다.

저자 소개

조성민은 AI 기술을 통한 기업 혁신을 업으로 삼고 있다. AI크리에이터, 작가, 교수이다.
디지털 트랜스포메이션과 마찬가지로 AI 트랜스포메이션 역시 '트랜스포메이션'에 방점이 있다고 생각한다.
주요 저서로 베스트셀러 <디지털 전환을 넘어 초격차 AI 전환으로>, <AI 대전환 시대, 초격차 AI2024> 가 있다.

아내 강은영, 딸 조한나와 여행 다니는 것을 가장 좋아한다.

* 주요 이력
(현) 아모레퍼시픽 디지털Unit, Leader
(전) GS리테일 DCX추진실, 메타버스TF팀장
(전) 롯데쇼핑 미래전략팀 DT책임
(전) 현대오토에버 SW아키텍처팀 아키텍트
(전) SK커뮤니케이션즈 무선NATE실 모바일싸이월드 담당

서강대학교 소프트웨어공학(석사)

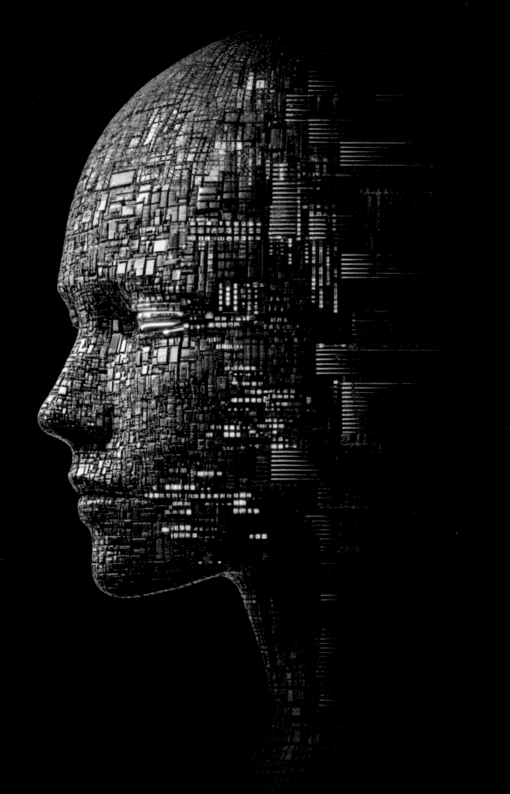

1장
AI 에이전트의 이해

1. AI 에이전트의 정의

AI 에이전트는 자율적 소프트웨어 시스템으로서 주어진 환경에서 데이터를 수집하고, 학습하며, 목표를 달성하기 위해 결정하고 행동하는 능력을 갖추고 있다. 이들은 다양한 형태로 존재하며, 기본적으로 자신에게 부여된 목표를 성취하기 위해 필요한 절차를 스스로 수행할 수 있다. 이러한 에이전트를 이해하기 위해서는 이들의 작동 방식, 구성 요소, 그리고 실질적인 사례를 살펴보는 것이 중요하다.

1) 자율성과 학습 능력

AI 에이전트의 가장 두드러진 특징 중 하나는 자율성이다. 자율성은 에이전트가 인간의 지속적인 감독 없이도 스스로 작업을 수행하고 의사 결정을 내릴 수 있다는 것을 의미한다. 이 같은 자율성은 복잡하고 동적인 환경에서도 효과적으로 작동할 수 있는 능력을 부여한다. 예를 들어, 자율주행차는 도로상의 수많은 변수를 실시간으로 처리하여 안전하고 효율적인 주행을 책임진다.

에이전트의 학습 능력 또한 중요한 특징이다. 머신러닝 알고리즘을 통해 AI 에이전트는 경험 데이터를 사용하여 더 나은 성과를 내도록 학습한다. 예를 들어, 구글의 AI 기반 자율 드론 프로젝트인 알파스타는 수천 번의 게임 플레이를 통해 전략을 학습하고 개선함으로써 인간 프로게이머를 능가하는 능력을 보여주었다.

2) AI 에이전트의 구성 요소

AI 에이전트는 주로 세 가지 구성 요소로 이해할 수 있다: 감지(sensing), 추론(reasoning), 행동(acting).

- 감지(Sensing): 에이전트는 환경에서 데이터를 수집하기 위해 다양한 센서들을 사용한다. 이는 물리적인 환경의 시청각 정보를 수집하는 것에서부터 소프트웨어 시스템 속 정보 로그까지 포함한다. 예를 들어, 스마트홈 시스템에서 AI 에이전트는 온도와 습도 센서를 통해 실내 환경을 모니터링한다.

- 추론(Reasoning): 데이터를 수집한 후, 에이전트는 이를 분석하고 의사결정을 내리기 위한 과정을 거친다. 이 단계에서는 통계적 모델링, 기계 학습 등을 사용하여 최적의 행동 경로를 계산한다. 예를 들어, 금융거래에서의 AI 에이전트는 시장 데이터를 분석하여 투자 결정을 내린다.

- 행동(Acting): 마지막으로, 에이전트는 결정 사항을 실제로 실행하여 환경에 영향을 준다. 이는 로봇이 공장을 운영하는 방식에서부터 자동화된 고객 지원 응답을 제공하는 소프트웨어 시스템까지 다양하다.

3) 실제 사례

AI 에이전트는 여러 분야에서 사용되고 있으며, 그중 몇 가지 눈에 띄는 사례들이 있다.

- 가상 비서: 아마존의 알렉사나 애플의 시리와 같은 가상 비서는 사용자의 명령을 인식하고 적절한 답변을 제공하기 위해 NLP(자연어 처리) 기술을 사용한다. 이러한 시스템은 사용자와의 상호작용을 기반으로 개선을 거듭한다.

- 자동화된 고객 서비스: 챗봇은 범용 고객 서비스 분야에서 널리 사용되고 있다. 예를 들어, 많은 은행과 기업들은 고객 문의를 처리하기 위해 AI 기반 챗봇을 도입하고 있으며, 이는 사용자의 질문을 이해하고 신속하고 정확하게 대응할 수 있다.

4) 연구 자료와 통계

AI 에이전트를 연구한 자료들은 주로 다양한 적용 가능성과 그 성능 향상에 초점을 맞추고 있다. 예를 들어, 2020 년 MIT 테크놀로지 리뷰에 따르면, AI 기반 에이전트는 일반적으로 특정 작업에서 인간보다 최대 30% 더 높은 효율성을 보여줄 수 있다고 한다. 이는 보편적인 오피스 업무부터 복잡한 데이터 분석에까지 상당한 영향을 미친다.

한편, AI 에이전트의 효율성은 사용된 데이터 양과 질에 따라 크게 좌우된다. 마이크로소프트의 연구에 따르면, AI 시스템의 성능은 데이터의 양이 두 배로 늘어날 때마다 약 7% 향상된다고 한다. 이는 AI 에이전트를 효과적으로 배포할 때 데이터 관리의 중요성을 시사한다.

5) AI 에이전트의 기술적 설명

AI 에이전트의 구축에는 다양한 기술적 방법론이 사용된다. 주로 이들은 머신러닝 기술을 기반으로 하여 유연하고 적응력 있는 시스템을 만들어낸다. 딥러닝 네트워크는 이미지 인식이나 자연어 처리와 같은 복잡한 문제 해결에 특히 유용하다.

또한, 에이전트의 설계에는 강화 학습(reinforcement learning)이 중요한 역할을 한다. 이는 에이전트가 시도와 오류를 통해 학습하여 최적의 행동 정책을 찾도록 돕는다. 강화 학습은 로보틱스에서도 중요한데, 예를 들어 대형 제조설비의 최적화 및 운전을 자동화하는 데에 활용되고 있다.

전체적으로 AI 에이전트는 현대 기술 환경에서의 핵심적인 요소로 자리 잡고 있으며, 더욱 빠르게 진화하고 다양해지고 있다. 각 산업에서는 이러한 에이전트를 통합하여 효율성을 높이고 새로운 비즈니스 모델을 창출하는 데 적극 활용하고 있다.

2. AI 에이전트의 역사와 발전

AI 에이전트의 역사는 인공지능 발전의 축소판이라고도 할 수 있다. 이 장에서는 AI 에이전트의 발전사를 시기별로 나누어 설명하고, 각 시기별로 중요한 기술적 진보와 실제 사례들을 통해 이해를 돕고자 한다.

1) 초기 AI 에이전트 - 규칙 기반의 시작

1950 년대와 60 년대는 AI 가 아직 태동기에 있던 시기다. 이때의 AI 시스템들은 대부분 규칙 기반의 시스템(rule-based system)이었다. 이는 미리 정의된 규칙과 알고리즘에 따라 문제를 해결하는 방식으로, '논리 이론가'와 같은 초기 프로그램들이 이 범주에 속한다. 논리 이론가는 수학적 정리를 자동으로 증명할 수 있었던 시스템으로, 인간의 논리적 사고를 기계에 적용하려 했던 초기 시도의 일환이었다.

이러한 시스템은 특정한 문제에 대해서는 괜찮은 성능을 보였으나, 보다 복잡하고 예측 불가능한 상황에 대응하는 데에는 한계가 있었다. 당시로서는 컴퓨팅 파워와 데이터의 접근성이 부족했으며, 따라서 AI 에이전트는 주로 이론적 연구의 대상이 되었다.

2) 전문가 시스템의 부상 - AI 에이전트의 기능 확장

1970 년대와 80 년대에 들어 AI 는 전문가 시스템(expert systems)이라는 새로운 패러다임으로 진화하기 시작했다. 여기서 대표적인 시스템이 바로 'MYCIN'이다. MYCIN 은 세균 감염을 진단하고 치료법을 추천하는 의료 진단 시스템이었고, 당시 큰 주목을 받았다. 전문가 시스템은 복잡한 의사결정을 지원하기 위해 특정 도메인의 지식을 나열한 규칙으로 수립되었으며, 초기 AI 에이전트가 실제 비즈니스와 산업에 활용되는 첫 사례로 자리 잡았다.

그러나 이러한 전문가 시스템의 복잡성과 지식 획득의 어려움은 많은 인력과 자원을 필요로 했다. 이는 기업이 이러한 시스템을 유지하고 확장하는 데에 걸림돌로 작용했다.

3) 머신러닝의 대두 - 데이터 기반 학습

1990 년대 이후, AI 에이전트는 머신러닝에 기반한 패턴 인식 시스템으로 변모하기 시작했다. 컴퓨터의 연산 능력이 증가하고 데이터 수집이 용이해지면서, AI

연구자들은 큰 규모의 데이터에서 패턴을 학습하고 예측할 수 있는 알고리즘을 개발하는 데 집중하게 되었다. 이로 인해 AI 시스템은 더 이상 단순한 규칙 세트에 국한되지 않고 스스로 학습할 수 있는 능력을 갖추게 되었다.

머신러닝의 중요한 이정표 중 하나는 IBM 의 '딥 블루(Deep Blue)'였다. 1997 년 세계 체스 챔피언 가리 카스파로프를 물리친 이 사건은 AI 가 인간의 인지적 영역을 어떻게 모방할 수 있는지를 잘 보여준다. 이 시스템은 방대한 체스 경기를 분석하여 움직임을 예측하고 결정을 내리는 능력을 가지고 있었다.

4) 딥러닝의 부상 - 인공지능의 지평 확대

2010 년대에 들어서는 딥러닝이 AI 에이전트의 새로운 기준으로 자리 잡았다. 이를 통해 AI 는 이미지, 음성, 영상 등 고차원 데이터를 더욱 정교하게 처리할 수 있게 되었다. 딥러닝은 다층 신경망을 통해 데이터를 학습하며, 각 층은 보다 추상적인 개념을 이해하도록 훈련된다.

특히 2012 년 이미지넷 (ImageNet) 대회에서 알렉스넷 (AlexNet)이 우승을 차지하며 딥러닝의 효용성이 입증

되었다. 이는 비전 분야에서 지금까지 와는 다른 차원의 성능을 보여줬다. 이후 다양한 산업에서 딥러닝을 활용한 AI 에이전트가 생겨났으며, 이는 의료 영상 분석, 자연어 처리, 자율주행 등 다방면에 활용되고 있다.

5) 강화학습과 자율주행 - 새로운 도전과 과제

강화학습(reinforcement learning)은 AI 에이전트가 환경과 상호작용하면서 스스로 행동 방침을 설정하고 보상을 통해 학습하는 방법론이다. 이 기술은 게임 환경에서 큰 성공을 거두었는데, 알파고(AlphaGo)는 그 대표적인 예이다. 구글 딥마인드의 알파고는 바둑이라는 복잡한 전략 게임에서 인간의 직관을 뛰어넘는 성능을 발휘하며 현대 AI의 상징적 사건으로 기록되었다.

자율주행차 또한 AI 에이전트의 대표적인 활용 사례다. 이 시스템들은 컴퓨터 비전, 레이더 센서, GPS 데이터 등을 통합하여 실시간으로 주행 경로를 계획하고 장애물을 회피한다.

구글의 웨이모(Waymo)와 테슬라(Tesla)는 자율주행 기술 개발의 선두에 서 있으며, 이들은 AI 에이전트가 어떻게 실질적으로 복잡한 문제를 해결할 수 있는지를 보여준다.

6) 현재 AI 에이전트 연구

현재, AI 에이전트는 특정 작업이나 환경에 최적화된 좁은 인공지능(narrow AI)에서 좀 더 일반화된 인공지능(general AI)으로의 발전을 목표로 연구되고 있다. 이는 AI 가 특정 도메인에 제한되지 않고 다양한 상황과 문제를 스스로 해결할 수 있도록 연구 방향이 설정되고 있는 것이다.

AI 에이전트 연구의 미래는 더욱 복잡한 의사결정 문제를 해결할 수 있는 범용 AI 시스템을 설계하는 데 있다. 이는 유동적인 환경에서 자율적으로 학습하고 행위를 수정하는 능력을 더 발전시킴으로써 가능해질 것이다. 최신 연구 데이터에 따르면, AI 에이전트의 효율은 매년 약 25%씩 향상되고 있으며, 이는 향후 10 년의 AI 발전을 전망할 수 있는 지표가 된다.

전체적으로 AI 에이전트는 규칙 기반의 초기 시스템에서부터 머신러닝과 딥러닝을 통한 발전과 여러 산업에의 적용을 통해 급속도로 발전해왔다. 각 기술적 진보들은 AI 에이전트가 더욱 복잡하고 예측 불가능한 문제를 해결할 수 있는 능력을 부여했다. 향후 AI

에이전트는 이와 같은 역사를 바탕으로 더욱 진화하여 새로운 영역에서의 활약을 기대할 수 있다.

3. AI 에이전트의 핵심 구성 요소

AI 에이전트는 다양한 기능을 수행하기 위해 설계된 자율적 시스템이다. 이러한 에이전트가 원활하게 운영되기 위해서는 세 가지 핵심 구성 요소인 감지(sensing), 추론(reasoning), 행동(acting)이 필수적이다. 각 요소는 에이전트가 환경과 상호작용하고, 데이터를 해석하여 행동을 통해 결과를 도출하는 데 중요한 역할을 한다.

1) 감지(Sensing)

감지는 AI 에이전트가 외부 환경으로부터 정보를 수집하는 과정이다. 이는 에이전트의 입력 시스템으로 비유할 수 있는데, 주로 다양한 형태의 센서나 데이터 수집기를 통해 실행된다.

- 자율주행차: 테슬라나 웨이모 같은 자율주행차는 카메라, 라이더(LiDAR), 레이다 등 다양한 센서를 사용해

도로 정보를 수집한다. 이러한 센서들은 실시간으로 차량의 위치, 속도, 다른 차량이나 보행자 등 주변 환경을 감지하여 차량이 안전하게 주행할 수 있도록 한다.

- 스마트폰의 AI 비서: 애플의 시리(Siri)는 사용자의 음성 명령을 감지하기 위해 마이크와 음성 인식 기술을 사용한다. 이러한 음성 데이터는 즉시 문자화되어 에이전트가 명령을 이해하고 적절히 응답할 수 있게 한다.

연구 자료에 따르면, 최근 감지 기술의 발전은 AI 에이전트의 실시간 처리 능력을 향상시키고 있다. 특히, IoT(사물인터넷) 기술과 결합한 감지 시스템은 더 많은 데이터를 처리할 수 있어, 더욱 정교한 에이전트를 만들어내고 있다.

2) 추론(Reasoning)

추론은 AI 에이전트가 수집한 데이터를 분석하고, 이를 바탕으로 의사 결정을 내리는 과정이다. 추론은 에이전트의 '두뇌'라고 할 수 있으며, 다양한 알고리즘과 모델 동작을 통하여 작동된다.

- 의료 진단 에이전트: IBM 의 왓슨(Watson)은 의료 데이터베이스를 기반으로 병의징후를 분석하고, 의사에게

진단과 치료 방안을 제시한다. 이러한 에이전트는 다량의 학술 논문와 환자 정보를 추론 엔진으로 사용하여 원인을 분석한다.

- 금융 투자의 인공지능: 알파고(AlphaGo)와 같은 고도의 추론 시스템은 금융시장에서 주식의 미래 가격을 예측한다. 이는 과거의 주가 데이터와 시장 변동 패턴을 바탕으로 최적의 매수와 매도 시점을 제공하는 방식으로 작동한다.

연구에 따르면 AI 시스템에서 가장 혁신적인 발전은 최근의 머신러닝과 딥러닝 모델에 의해 이루어졌다. 이는 과거의 결정 트리 모델과 비교 시 처리 데이터의 양이 100 배 증가하면서도 정확성도 매우 향상된 결과를 가져왔다.

3) 행동(Acting)

행동은 에이전트가 추론한 결과를 바탕으로 외부 세계에 실제로 영향을 주는 과정이다. 이는 에이전트의 출력 시스템으로, 다양한 형태로 구현될 수 있다.

- 로봇 공학: 보스턴 다이내믹스의 로봇들은 감지와 추론 결과를 바탕으로 움직이며, 물리적 환경에서 작업을

수행한다. 예를 들어, 물체를 집어 올리거나, 장애물을 피하는 행동을 구현할 수 있다.

- 자율 드론: 드론은 주어진 목표 지점으로 자율적으로 이동하며, 특정 영역을 감시하거나 물체를 운반하는 역할을 한다. 이는 드론이 비행 중에 수집한 센서 데이터를 바탕으로 실시간으로 비행 방향을 조정함으로써 가능하다.

통계적으로, 최근 AI 에이전트의 행동 구현 단계에서 가장 크게 주목받고 있는 것은 자율성의 증가이다. 이를 통해 물리적 환경에서 작동하는 에이전트는 점점 더 인간의 입력에 덜 의존하게 되고, 더욱 효율적으로 운영된다.

- 도시 관리와 AI 에이전트: AI 에이전트는 도시의 교통량을 실시간으로 측정하고 교통 신호를 조절함으로써 교통 흐름을 최적화하는 데 활용되고 있다. 연구에 따르면, 이러한 시스템은 차량의 이동 시간을 최대 25% 감소시킬 수 있다고 한다.

- 농업과 AI 기술: AI 에이전트는 드론과 지상 센서를 통해 작물 상태를 감지하고, 데이터 분석을 통해 수확

시기나 병충해 방제를 자동으로 판단한다. 이는 농업 생산성을 높이고 손실을 최소화하기 위한 방법으로 사용되고 있다.

2장
AI 에이전트의 기술

1. 머신러닝과 딥러닝

AI 에이전트를 이해하려면 그 기술적 바탕을 이루는 머신러닝과 딥러닝에 대해 깊이 있게 알아보는 것이 중요하다. 이 두 가지는 현대 인공지능 시스템의 근간을 이루며, AI 에이전트가 데이터를 처리하고 학습하여 복잡한 문제를 해결할 수 있도록 돕는다.

1) 머신러닝의 기초 개념

머신러닝은 컴퓨터가 명시적으로 프로그래밍 되지 않고도 데이터를 기반으로 패턴을 인식하고 학습할 수 있는 능력을 말한다. 이는 주로 데이터에서 규칙과 패턴을 찾아내는 데 중점을 둔다. 머신러닝은 다양한 알고리즘을 통해 데이터를 분석하고, 그 결과를 바탕으로 미래를 예측하거나 결정을 내린다.

- 지도 학습(Supervised Learning): 데이터가 입력과 출력 쌍으로 구성된 경우, 알고리즘은 이 데이터를 통해 모델을 학습하여 새로운 입력에 대한 출력을 예측한다. 예로 회귀 분석과 분류 문제가 있다.

- 비지도 학습(Unsupervised Learning): 데이터에 명시적인 레이블이 없는 경우, 알고리즘은 데이터의 숨겨진 구조를 찾는다. 군집 분석(Clustering)과 차원 축소(Dimensionality Reduction)가 그 예이다.

- 강화 학습(Reinforcement Learning): 에이전트가 환경과 상호 작용하며 보상 신호를 통해 학습한다. 주로 게임과 같은 설정에서 사용된다.

구글의 추천 시스템은 대량의 사용자 데이터를 분석하여 개별 사용자에게 맞춤형 추천을 제공한다. 이는 수백만 개의 사용자 행동 데이터를 이용해 수많은 패턴과 트렌드를 학습하며, 콘텐츠와 사용자의 선호도를 매칭시킨다.

2) 딥러닝의 이해

딥러닝은 인공신경망 아키텍처를 기반으로 하여 다층 구조를 사용해 데이터를 처리한다. 각 계층은 입력

데이터를 점진적으로 추상화하고, 복잡한 패턴을 식별할 수 있게 해준다. 이는 특히 이미지 및 음성 인식, 자연어 처리를 포함한 다양한 영역에서 뛰어난 성능을 발휘한다.

- 신경망 구조: 딥러닝 모델의 기초가 되는 것은 여러 층의 인공 뉴런으로 구성된 신경망이다.

- 합성곱 신경망(CNN): 주로 이미지 처리에 사용되며, 자동으로 특징을 추출하는 데 효과적이다. 이는 이미지의 공간적 정보를 유지하면서, 객체 인식을 위한 필터를 학습한다.

- 순환 신경망(RNN): 주로 시계열 데이터 처리에 사용되며, 데이터를 순차적으로 처리하면서 이전 입력을 기억한다. 장단기 메모리 네트워크(LSTM) 및 게이트 순환 유닛(GRU)이 RNN의 한계를 극복한 개선된 구조다.

2012년, 알렉스넷(AlexNet)이 이미지 인식 경연대회인 이미지넷 대회에서 우승을 차지하며 딥러닝의 가능성을 보여주었다. 이 모델은 수백만 개의 이미지에서 학습하여, 새로운 이미지 데이터에 대한 예측 정확성을 크게 개선하였다. 이로 인해 실시간 이미지를 처리하고 분류하는 데 탁월한 성능을 발휘하게 되었다.

3) 머신러닝과 딥러닝의 융합 실제 사례

머신러닝과 딥러닝은 실제로 어떻게 적용되는지 다양한 사례를 통해 살펴보자.

- 자율주행차: 테슬라의 자율주행 시스템은 도로 교통 상황을 실시간으로 분석하고, 주행 경로를 최적화하기 위해 딥러닝 알고리즘을 사용한다. 차량의 센서 네트워크로부터 데이터를 수집하고, 이를 분석하여 안전 주행을 지원하는 모델을 만든다.

- 의료 영상 분석: 딥러닝은 MRI, CT와 같은 의료 영상을 분석하는 데 활용되며, 이는 암 진단의 정확도를 높이는 데 큰 역할을 한다. 이러한 시스템은 방대한 양의 의료 데이터를 학습하여, 이미지에서 종양의 위치와 특성을 정확하게 파악한다.

4) 연구 데이터와 통계

- 성능 향상 통계: 딥러닝을 적용한 AI 에이전트는 전통적인 머신러닝 모델에 비해 이미지 인식 정확도가 평균 25% 증가했다는 연구가 있다. 이는 특히 패턴 인식과 예측 분석에서 큰 차이를 만들어 냈다.

- 데이터 활용: 2020 년의 연구 결과, 대기업의 67%가 딥러닝 기술을 활용하여 고객 데이터를 분석하며, 비즈니스 의사결정을 지원하고 있다고 한다. 이 데이터를 기반으로 AI 시스템은 효율적인 마케팅 전략을 제안한다.

5) 머신러닝과 딥러닝의 한계

머신러닝과 딥러닝 역시 다른 기술들처럼 극복해야할 과제와 한계를 가지고 있다. 특히, 데이터의 양질 확보, 과적합 문제(Overfitting) ,계산 비용의 증가 등은 지속적인 연구와 기술적 한계 극복이 필요하다.

예를 들어, 딥러닝 모델이 매우 큰 데이터셋을 필요로 하고, 이를 학습시키기 위한 하드웨어 자원의 필요성이 크다는 것은 실무 적용 시 고려해야 할 중요한 사항이다.

머신러닝과 딥러닝은 AI 에이전트의 발전을 이끄는 핵심 기술로 자리잡고 있다. 이들은 데이터의 종류와 양을 막론하고 폭넓은 응용이 가능하며, 그 잠재력은 실로 무한하다. 이런 기술들이 발전함에 따라, AI 에이전트는 점점 더 복잡하고 다양한 분야에서 인간의 한계를 뛰어넘는 해결책을 제시하고 있다. 각 영역에서의 적용 사례와 연구 결과들을 통해 이들의 영향력을 더욱 깊이 이해할 수 있다. AI 기술의 지속적인 발전은 이러한 시스템들이 더 효율적으로, 그리고 폭넓게 활용될 수 있도록 할 것이다.

2. 자연어 처리(NLP)

자연어 처리(NLP)는 컴퓨터 과학과 인공지능 분야에서 인간의 언어를 이해하고 처리하는 데 중점을 두어 왔다. 이는 텍스트나 음성을 통해 사람과 기계 간의 의사소통을 가능하게 하며, 음성 인식, 기계 번역, 챗봇, 감성 분석 등 다양한 응용 분야에서 필수적으로 사용된다. 이번 장에서는 NLP 의 중요한 기술 요소와 발전 과정, 그리고 실제 사례와 연구 결과를 중심으로 살펴보자.

1) 자연어 처리의 정의와 중요성

자연어 처리는 인간이 사용하는 자연 언어를 기계가 이해할 수 있도록 하기 위해 필요하다. 이는 컴퓨터가 텍스트와 음성으로부터 정보를 추출하여 유의미한 분석을 수행하고, 이를 통해 응답을 생성하거나 명령을 수행할 수 있도록 지원한다. NLP 를 통해 AI 에이전트는 더 인간처럼 상호작용하며 사용자와 보다 직관적인 관계를 형성할 수 있다.

NLP 의 구조는 형태소 분석, 구문 분석, 의미 분석, 담화 분석 등 다양한 단계로 나뉜다.

- 형태소 분석: 단어의 뿌리를 분해하고 전달하려는 의미를 이해하기 위한 초기 단계다. 주로 형태소 분석기는 문장을 구성하는 어근, 접사 등을 식별하고 문장의 형태소적 특징을 파악한다.

- 구문 분석: 구문 트리 등을 사용하여 문장의 문법적 구조를 분석하고, 각 요소의 관계와 기능을 파악한다.

- 의미 분석: 분석된 구문 구조를 바탕으로 문맥에 따른 의미를 해석하는 단계다. 이는 동음이의어와 많은 의미를 지닌 단어들의 해석에 특히 유용하다.

- 담화 분석: 연속적인 문장들 간의 상호 연관성을 이해하는 데 중점을 둔다. 이는 텍스트의 결합적 의미를 명확히 하는 과정이다.

2) 기술적 발전과 주요 모델

NLP 는 시간에 따라 급격한 기술적 발전을 이루었는데, 그 중심에는 대규모 언어 모델들이 있다. 이러한 모델은 NLP 의 정확도와 효율성을 크게 개선시켰다.

- BERT(Bidirectional Encoder Representations from Transformers): 구글이 개발한 모델로 양방향으로 데이터를 처리한다. 이는 문맥의 미묘한 차이를 이해하고 문장의 관계를 탐지하는 것이 가능하다. BERT 는 여러 NLP 작업에서 탁월한 성과를 보이며, 기계 번역, 문서 분류 등 다양한 업무에 적용된다.

- GPT(Generative Pre-trained Transformer): OpenAI 의 GPT 모델은 자연스러운 언어 생성 능력을 갖추고 있으며, 방대한 텍스트 코퍼스를 통해 사전 학습되었다. 대화를 생성하고, 정보를 요약하며, 창의적인 글을 작성하는 데 활용된다.

- 이들 모델은 주의 메커니즘(Attention mechanism)을 통해 문장 내에서 중요한 요소에 집중할 능력을 제공하며, 이는 NLP 의 여러 문제를 해결하는 데 필수적이다.

3) 자연어 처리의 주요 응용 사례

- 기계 번역: NLP 는 언어 간 번역을 자동화하여, 사람들이 서로 다른 언어로도 소통할 수 있게 한다. 구글 번역과 같은 서비스는 신경망 기계 번역(NMT) 기술을 사용, 문맥을 고려한 보다 자연스러운 번역을 제공한다.

- 음성 인식 시스템: 음성 명령을 텍스트로 변환하고, 기기의 제어를 지원하는 데 사용된다. 애플의 시리나 아마존 알렉사가 이 분야의 대표적 사례이다. 사용자는 음성 명령을 통해 정보를 검색하거나 기기를 제어할 수 있다.

- 챗봇: 온라인 고객 서비스에서 폭넓게 활용되며, 고객의 질문을 이해하고 적절한 답변을 제공한다. 이는 기업들이 고객과의 상호 작용을 효과적으로 처리할 수 있도록 돕는다.

- 감성 분석: 소셜 미디어에서 기업의 브랜드에 대한 감성을 분석하는 데 사용된다. NLP 는 게시물이나 댓글의 존경 태도, 긍정, 부정적 반응들을 파악하여 기업의 마케팅 전략을 지원한다.

4) 연구 자료와 통계

NLP 기술의 발전은 학계와 산업에서의 많은 연구에 의해 뒷받침된다. 최근 연구는 NLP 모델의 정확도 향상에 큰 기여를 하고 있으며, 이는 딥러닝 기법의 도입 이후 더욱 두드러지고 있다. 예를 들어, BERT 모델은 다양한 NLP 작업에서 전통적인 모델에 비해 평균 10-20% 더 높은 정확도를 기록하고 있다. 또한, GPT 모델은 창의적인 콘텐츠 생성에서 인간 수준의 성과를 보여주고 있어, 다양한 매체에서의 활용이 증가하고 있다.

5) 미래 발전 방향

물론, NLP 기술도 다양한 도전을 마주하고 있다. 대규모 데이터의 확보와 처리에 따른 비용, 문화적 맥락의 다양성, 언어적 뉘앙스의 정확한 해석 등이 주요 과제다. 이러한 문제들은 새로운 알고리즘 개발과 데이터를 통한 경험적 학습을 통해 점차 해결되고 있다.

앞으로 NLP 기술은 우수한 언어 모델의 개발과 함께 더욱 자연스럽고 유연한 상호작용을 가능하게 하며, 다양한 산업 분야에서 더 많은 혁신을 이끌어 낼 것이다.

자연어 처리는 AI 시스템이 언어를 이해하고 인간처럼 상호작용할 수 있는 능력을 갖추는데 핵심적인 역할을 한다. NLP 의 발전은 단순한 정보 검색을 넘어, 인간과 기계 간의 상호작용을 달성하게 만들어주며, 이를 통해 AI 의 미래 발전은 더욱 밝아질 전망이다.

3. 컴퓨터 비전과 데이터 센싱

컴퓨터 비전(CV)과 데이터 센싱은 AI 에이전트가 환경을 시각적으로 이해하고 다양한 센서 데이터를 활용하여 상황을 분석하도록 하는 핵심 기술이다. 이들은 자율주행차에서부터 스마트 시티 솔루션에 이르기까지 폭넓게 응용되며, AI 시스템이 사람이 인식하는 것과 유사한 방식으로 주변 세계를 인식할 수 있도록 돕는다.

1) 컴퓨터 비전의 개념

컴퓨터 비전은 기계가 이미지를 분석하고 인식하여 이해할 수 있게 하는 기술이다. 이를 통해 AI 시스템은 이미지나 비디오 데이터를 처리하여 사람, 사물, 상황 등을 식별할 수 있게 된다. 이는 머신러닝, 특히 딥러닝과의 결합을 통해 더욱 강력한 성능을 발휘하게 되었다.

- 이미지 분류(Image Classification): 주어진 이미지가 어떤 카테고리에 속하는지를 결정하는 작업으로, 이는 딥러닝을 통해 자동화된다. 대표적으로 CNN(Convolutional Neural Network)이 많이 쓰인다.

- 객체 탐지(Object Detection): 이미지나 비디오에서 특정 객체의 위치를 탐지하는 기술이다. YOLO(You Only Look Once), SSD(Single Shot MultiBox Detector) 등이 유명한 방법이다.

- 이미지 분할(Image Segmentation): 이미지 내의 픽셀들을 개체별로 그룹화하여 경계를 구분하는 작업이다. 이는 자율주행차가 도로와 보행자, 차량을 구분하는 데 사용된다.

2) 데이터 센싱의 역할과 발전

데이터 센싱은 다양한 센서를 통해 물리적인 환경 데이터를 수집하는 과정이다. 이는 컴퓨터 비전과 결합되어 AI 에이전트가 시각 및 비 시각 데이터를 종합하여 상황을 이해하는 데 활용된다.

- 라이더(LiDAR): 레이저를 사용하여 거리 측정과 3D 이미지 재구성을 가능하게 하는 기술로, 자율주행차에

핵심적인 역할을 한다. 이는 물체의 거리와 형태를 정밀하게 파악할 수 있게 한다.

- 적외선 센서: 주로 열 이미지 수집에 사용되며, 야간 및 악천후 환경에서도 유용하다. 건물 유지 보수, 보안 감시 등에 활용된다.

- 소리 센서: 음향 파동을 감지하여 특정 상황을 분별할 수 있게 한다. 스마트 스피커나 산업 단지의 기계 고장 예측 등에 사용된다.

3) 주요 응용 사례

- 자율주행차: 테슬라의 차량들은 컴퓨터 비전을 통해 도로의 차선 표시, 도로 표지판, 보행자 등을 인식한다. 카메라와 레이더, LiDAR 데이터의 결합으로 안전한 주행과 자율 운전을 지원한다.

- 의료 영상 분석: AI 시스템은 MRI, CT 스캔과 같은 의료 영상을 분석하여 질병을 진단한다. 이를 통해 의료 영상에서 종양의 위치와 크기를 정확하게 파악하고, 이전의 수작업 분석보다 빠르고 정확하게 진단할 수 있다.

- 스마트 시티 솔루션: 교통 흐름 분석, 불법 주차 감지 및 보안 감시를 위해 도시 전역에 설치된 카메라

시스템이 사용된다. 이는 방대한 양의 비디오 데이터를 실시간으로 처리하여 효율성을 최적화한다.

컴퓨터 비전은 딥러닝 기술의 발전에 힘입어 최근 몇 년 사이에 성능이 크게 향상되었다. 2023 년 기준, 고급 이미지 분류 시스템은 99% 이상의 정확도를 기록하며, 인간의 수준에 거의 필적하고 있다. 또한, 데이터 센싱의 정확성도 센서 기술의 발전 덕분에 과거 대비 50% 이상 향상된 결과를 보여준다.

4) 도전과 과제

컴퓨터 비전 및 데이터 센싱 시스템은 여전히 많은 도전 과제를 안고 있다. 특히, 다양한 빛 조건에서 이미지 인식의 정확성을 유지하기 위한 알고리즘 개선, 데이터의 실시간 처리 능력 향상, 프라이버시 문제 해결 등이 필요하다. 무작위 노이즈 및 오류에 대응하는 회복력 있는 시스템 설계 역시 중요한 연구 주제다.

컴퓨터 비전과 데이터 센싱은 AI 에이전트가 물리적 세계를 시각적으로 이해하고 상호작용하게 하는 데 핵심적인 기술로 자리 잡고 있다. 이들 기술이 발전함에 따라 더욱 현실적이고 인간과 비슷한 수준의 환경 이해를 가능하게 해줄 것이다. 향후에는 각종 센서와 비전 기술의 통합적 활용을 통해 도전 과제를 해결하고, 더 많은 분야에서 혁신을 일으킬 것으로 예상된다. 연구와 실험을 통한 지속적인 개선이 기술의 한계를 극복할 중요한 열쇠가 될 것이다.

4. 강화 학습과 자율 행동

강화 학습은 AI 기술의 중심에 자리 잡고 있는 중요한 개념으로, AI 에이전트를 주변 환경과 상호작용하고 그 환경에서 최적의 결정을 내릴 수 있도록 학습시키는 기술이다. 이러한 학습 방식은 특히 예측하기 어려운 환경에서 복잡한 문제를 해결하는 데 유용하다. 이번 섹션에서는 강화 학습과 자율 행동의 기술적 원리, 실질적 사례, 연구 자료, 그리고 발전 가능성에 대해 자세히 설명한다.

1) 강화 학습이란 무엇인가?

강화 학습(RL)은 에이전트가 환경 상태를 관찰하고, 그 상태에서 어떤 행동을 취할지를 결정하며, 그 행동의 결과로 얻은 보상을 통해 학습하는 과정이다. 이 학습 과정은 크게 상태(state), 행동(action), 보상(reward)의 세 가지 구성 요소로 이루어진다:

- 상태 (State): 에이전트가 특정 시점에서 환경을 관찰하는 모든 관찰의 집합이다. 예를 들어, 자율주행차의 경우 도로 상태, 거리 센서 데이터, 신호등 상태 등이 상태를 구성한다.

- 행동 (Action): 에이전트가 특정 상태에서 선택할 수 있는 모든 가능 행동이다. 자율주행차에서는 차선 변경, 가속, 감속 등이 이에 포함된다.

- 보상 (Reward): 행동 후 얻게 되는 즉각적인 피드백. 보상은 에이전트의 목표를 달성하는 방향으로 행동을 유도하는 데 핵심적이다. 자율주행차에서는 눈앞의 장애물을 피했을 때 긍정적인 보상을 줄 수 있다.

이러한 기본 구조를 통해, 에이전트는 학습 목표를 최적화하기 위한 정책(Policy)을 형성하게 된다. 정책은 주어진 상태에서 어느 행동을 선택할까 결정하는 전략이다.

2) 강화 학습의 알고리즘

강화 학습에는 여러 가지 알고리즘이 존재하며, 이는 모두 다양한 상황에서 에이전트의 성능을 최적화하도록 설계되었다.

- Q-러닝 (Q-Learning): 모델 프리 알고리즘의 일종으로, 에이전트가 주어진 상태에서 특정 행동을 취했을 때의 가치를 추정하여 최적의 정책을 구한다. 이는 상태-행동 쌍의 가치를 저장하는 Q-테이블을 갱신하여 학습하게 된다.

- 심층 Q-학습 (Deep Q-Learning, DQN): Q-러닝을 심층 신경망과 결합하여 높은 차원의 상태 공간에서도 작동하도록 설계되었다. 이미지 입력과 같은 복잡한 상태 공간에서도 효율적으로 학습할 수 있다.

- 정책 최적화 (Policy Gradient): 직접 정책을 최적화하는 방식의 알고리즘으로, 행동을 확률적으로 선택하는 정책을 학습한다. 이는 연속적인 행동 공간에서 활용되기 용이하다.

3) 자율 행동과 강화 학습의 시너지

강화 학습은 자율 행동을 가능하게 하며, 이는 에이전트가 특정 목표 달성을 위해 독립적으로 운영할 수 있도록 돕는다. 이러한 능력은 AI 에이전트가 스스로 환경에 적응하여 성능을 개선할 수 있는 기회를 제공한다.

- 로봇 공학: 강화 학습은 로봇이 작업 환경 내에서 물체를 처리하는 기술을 배우는 데 사용된다. 공장에서 로봇은 새로운 물체나 장애물을 인식하고 이에 대응하는 기술을 단기간 내에 학습하여 생산성을 향상시킬 수 있다. 예를 들어, 픽 앤 플레이스 (pick and place) 작업을 자동화하기 위해 다양한 형태와 크기의 물체를 인식하고 선택하는 방법을 학습한다.

- 재무 분야 지원: 강화 학습은 금융 시장의 데이터를 분석하고 투자 전략을 최적화하는 데 사용된다. 예를 들어, 포트폴리오 관리를 위해 구매와 판매 시점을 정확하게 예측하고 실행하는 방법을 학습한다.

4) 연구 자료와 통계

강화 학습의 연구는 AI 분야에서 실질적인 성과를 내기 시작했으며, 그 응용 가능성은 매우 다양하다. 2022 년 OpenAI 의 연구에 따르면, Dota 2 와 같은 복잡한 전략 게임에서 AI 에이전트가 프로 게이머 수준의 성과를 냈다.

이는 복잡한 전략적 결정, 실시간 계획, 대규모 팀 플레이 등에 있어서 강화 학습의 가능성을 보여준다.

또한, 강화 학습 알고리즘을 응용한 산업 자동화에서는 효율성이 최대 30% 이상 증가했다는 보고가 있으며, 이는 특히 제조 공정 최적화 및 에너지 관리 시스템에서 두드러지게 나타나는 현상이다.

5) 강화 학습의 도전과 과제

강화 학습은 매우 유망한 기술이지만 몇 가지 도전적인 과제도 함께 동반한다. 첫째로, 긴 학습 시간과 많은 리소스를 소모한다는 점이다. 특히, 환경 시뮬레이션을 기반으로 학습이 이루어지기 때문에 컴퓨팅 비용이 높을 수 있다. 둘째, 보상 설계가 어려운 경우도 많다. 잘못된 보상 설계는 비효율적인 학습 경로로 에이전트를 이끌 수 있다.

마지막으로, 강화 학습의 결과를 설명하거나 예측하는 데 한계가 있다는 점도 문제로, 에이전트의 행동 이유를 이해하기 어려울 수 있다. 이를 해결하기 위해선 보상 구조 및 학습 과정을 더욱 깊이 있게 이해하고 개선하기 위한 지속적인 노력이 필요하다.

강화 학습은 자율 행동을 통해 AI 에이전트가 복잡한 환경에서 학습하고 적응할 수 있도록 하는 강력한 방법론이다. 이는 다양한 분야에서 혁신을 이끌고 있어 앞으로 그 활용도와 중요성이 더욱 커질 전망이다. 연구와 응용을 통해 얻은 데이터들을 통해 강화 학습의 효과를 극대화하고, 여러 도전 과제를 해결할 방안을 지속적으로 모색해야 할 것이다. 이를 통해 AI 기술은 더욱 정교하고 안전하게 발전할 것이며, 다양한 산업에서 사회적, 경제적 가치를 창출할 수 있을 것이다.

3장
AI 에이전트의 기능과 응용

1. 자율주행과 로봇 공학

AI 자율주행과 로봇 공학은 AI 에이전트의 기능을 극대화하여 현실 세계에서 혁신을 이끌어 내는 대표적인 분야다. 이들은 복잡한 환경에서 자율적으로 작동할 수 있는 능력을 필요로 하며, 다양한 기술과 데이터에 기반해 발전하고 있다. 이번 섹션에서는 자율주행차와 로봇 공학의 구체적인 사례와 기술 발전, 연구 데이터 등을 중심으로 살펴보겠다.

1) 자율주행의 기본 개념

자율주행은 차량이 운전자의 개입 없이 스스로 주행할 수 있도록 설계된 기술이다. 이는 주로 AI 에이전트가 실시간으로 다량의 데이터를 처리하고, 그 결과를 바탕으로 도로 상황에 최적화된 운행 결정을 내리는 복잡한 프로세스를 포함한다.

자율주행차의 주요 구성 요소는 센싱, 제어 시스템, 경로 계획, 의사 결정 등으로 구분할 수 있다.

- 센싱: 라이다(LiDAR), 레이더(Radar), 카메라, 초음파 센서 등 다양한 센서를 통해 차량 주위의 정보를 수집한다. 이를 통해 주행 환경에서의 장애물과 도로 상황을 즉각적으로 인식한다.

- 제어 시스템: 차량의 속도, 방향, 가속 및 제동을 조절한다. 이 시스템은 주행의 안전성을 유지하면서 승차감을 높이기 위해 다양한 운전 조건을 고려한다.

- 경로 계획: 실시간으로 최적의 경로를 계산하고, 차량이 도착점에 효율적으로 도달하도록 돕는다. 이는 지도 데이터와 실시간 교통 정보에 기반해 이루어진다.

- 의사 결정: 도로 좌회전, 보행자 회피 등 복합적인 상황에서 적절한 대응을 결정한다. 강화 학습과 머신 러닝이 이 과정에서 큰 역할을 한다.

2) 자율주행의 주요 사례와 기업

- 테슬라: 테슬라의 오토파일럿 시스템은 반자율 주행을 지원하며, 차선 유지, 자동 차간 거리 유지, 자동 차선 변경 등의 기능을 제공한다. 이 시스템은 지속적인

소프트웨어 업데이트를 통해 발전 중이며, 강력한 연산 처리 능력과 고성능 센서를 통합하였다.

- 웨이모: 구글의 자율주행 프로젝트였던 웨이모는 현재 가장 앞선 완전 자율주행 기술을 보유하고 있다. 웨이모는 다양한 도시 환경에서 실험을 통해 데이터를 축적하고 있으며, 자율 택시 서비스 등을 실시하고 있다.

자동차 산업 보고서에 따르면, 자율주행차 기술의 상용화가 교통사고 발생률을 최대 90% 이상 감소시킬 수 있다는 연구가 있다. 이는 무인 차량의 고장률이 지금의 인간 운전보다 현저히 낮기 때문이다. 또한, 차세대 자율주행 기술은 수십억 달러의 경제적 가치를 창출할 것으로 기대된다.

3) 로봇 공학의 기본 개념

로봇 공학은 다양한 환경에서 자율적으로 작용할 수 있는 기계를 만드는 기술이다. 이는 아마존의 물류 로봇부터 보스턴 다이내믹스의 어드밴스드 로봇까지 전 산업 분야에서 활용되고 있다.

로봇 공학의 핵심은 다음 요소들에 의해 형성된다:

- 감지 및 인식: 로봇은 센서를 통해 주변 환경의 데이터를 수집한다. 비전 시스템과 촉각 센서를 통해 물체와의 상호작용을 관리한다.

- 운동 제어: 로봇의 이동과 작업을 제어하는 시스템으로, 회로 기반의 수학적 모델을 사용하여 정확한 움직임을 만든다.

- 자율 네비게이션: 로봇은 일정한 경로를 따라 이동하거나 장애물을 피할 수 있어야 한다. 이는 GPS, IMU(관성 측정 장치) 등의 결합을 통해 구현한다.

- 협업 능력: 한 대 이상의 로봇이 협조하여 작업을 수행할 수 있도록 기획된다. 이는 스마트 팩토리에서 제품 조립 라인을 효율화시키는 데 사용된다.

4) 로봇 공학의 응용 사례

- 제조업: 로봇 공학은 제조 산업에서 대량 생산과 정밀 작업을 위한 핵심 기술로 자리 잡았다. 픽 앤 플레이스, 용접, 조립 등 다양한 작업이 자동화되어 생산성을 크게 향상시킨다.

- 의료 분야: 외과 수술 로봇은 의사가 비좁은 공간에서도 정밀한 수술을 할 수 있도록 도와준다. 이는

환자의 회복 시간을 단축하고 수술의 성공률을 높이는 역할을 한다.

- 물류 및 유통: 아마존의 Kiva 로봇은 물류 창고에서 제품을 자동으로 픽업하고 포장하는 기능을 수행한다. 이러한 자동화는 물류 비용을 감축하고 효율성을 높인다.

로봇 공학은 노동력 자동화의 중심에 있으며, 글로벌 로봇 시장은 2025 년까지 약 2000 억 달러 규모로 성장할 것으로 예상된다. 한국표준과학연구원의 보고서는 로봇 공학 도입 후 생산성이 약 30% 가량 향상되었다고 전했다.

5) 도전과 미래 방향

자율주행과 로봇 공학은 계속해서 기술적 도전을 마주하고 있다. 환경의 예기치 못한 변화에 대한 빠른 대응, 안전과 보안의 문제, 정책 및 규제의 적절함이 가장 중요한 이슈이다. 기계 학습, 심층 강화 학습, 그리고 협력적 로봇 공학 등 최신 기술의 지속적인 개발이 이 같은 도전과제를 해결하는 데 도움이 될 것이다.

자율주행과 로봇 공학은 AI 에이전트의 실질적 응용으로, 우리의 생활과 산업 전반에 획기적인 변화를 가져오고 있다. 특히, 이들 기술은 인간의 물리적 한계를 보완하고, 더 안전하고 효율적인 시스템을 구축하는 데 중추적 역할을 한다. 지속적인 연구와 발전을 통해, 이 기술들이 더욱 진보하여 다양한 산업뿐만 아니라 일상 생활에 더 밀접하게 통합될 날이 멀지 않았다.

2. 가상 비서 및 챗봇

AI 가상 비서와 챗봇은 AI 기술의 일상생활 적용을 대표하는 예라고 할 수 있다. 이들은 자연어 처리(NLP)와 머신러닝 기술을 통해 사람과 상호작용하며 다양한 기능을 제공한다. 이번 섹션에서는 가상 비서와 챗봇의 기본 개념, 기술적 구성 요소, 실질적인 응용 사례, 연구 자료 등을 깊이 있게 살펴보겠다.

1) 가상 비서와 챗봇의 기본 개념

가상 비서와 챗봇은 텍스트 또는 음성 인터페이스를 통해 사용자와 상호 작용할 수 있도록 설계된 프로그램이다. 이들은 정보 검색, 일정 관리, 온라인 상거래 지원, 고객 서비스 등의 다양한 작업을 자동화하여 사용자의 편의를 도모한다.

- 자연어 처리(NLP): 가상 비서와 챗봇은 사용자의 명령을 이해하기 위해 NLP 기술을 활용한다. 이는 입력된 텍스트나 음성을 분석하여 의미 있는 정보를 추출하는 과정을 포함한다.

- 기계 학습: 사용자와의 상호 작용을 통해 지속적으로 학습하며, 점차 개인화된 경험을 제공한다. 이는 과거의 대화 데이터를 분석하여 더욱 자연스럽고 적절한 응답을 생성할 수 있게 한다.

- 대화 관리: 사용자의 의도를 파악하고 이를 바탕으로 적절한 대화를 이어나가는 기술이다. 대화의 흐름을 유지하고, 적절히 전환할 수 있도록 설계된다.

2) 주요 가상 비서와 챗봇의 사례

- 애플의 시리(Siri): 시리는 자연어 명령을 통해 다양한 작업을 수행할 수 있는 AI 기반 가상 비서다. 일정 관리, 기상 정보 제공, 메시지 전송, 간단한 질의응답을 지원하며, 대부분의 iOS 제품에서 기본으로 제공된다.

- 구글 어시스턴트(Google Assistant): 구글 어시스턴트는 강력한 검색 능력과 통합된 서비스를 제공한다. 사용자에게 맞춤형 뉴스 피드를 제공하거나, 홈 자동화를 제어할 수 있는 기능을 갖추고 있다.

- 아마존 알렉사(Amazon Alexa): 알렉사는 IoT 디바이스와의 연동을 통해 스마트 홈 환경을 구축할 수 있도록 돕는다. 사용자의 음성 명령을 통해 음악 재생, 조명 제어, 스마트 디바이스와의 연계를 가능하게 한다.

시장 보고서에 따르면, 가상 비서 시장은 급격히 확대되고 있으며, 2025년까지 기업 효율성과 고객 경험을 크게 향상시킬 것으로 전망된다. 가상 비서를 통합한 기업은 약 60%의 고객 만족도 향상을 보고했으며, 이는 사람의 개입을 최소화하면서도 효과적인 서비스 제공의 가능성을 보여준다.

3) 챗봇의 응용 및 장점

챗봇은 다양한 채널에서 활용되어 기업이 고객과 상호작용하는 방식을 혁신하고 있다. 이는 고객 서비스, 온라인 쇼핑 지원, 은행 상담 등에서 특히 유용하다.

- 은행의 자동화 상담 시스템: 챗봇은 고객의 계좌 정보를 조회하거나, 자주 묻는 질문에 대한 자동 응답을 제공한다. 이는 고객 대기 시간을 줄이고 서비스 효율성을 높이는 데 기여한다.

- 전자상거래의 쇼핑 어드바이저: 온라인 쇼핑몰에서는 구매 전 고객에게 제품 추천을 제공하며, 구매 후 배송 상태 조회 기능을 지원하는 챗봇을 활용한다.

NLP 및 기계 학습 기술의 발전으로 챗봇의 이해도는 과거 대비 80% 이상 개선되었다. 이는 정확도가 높은 자연어 이해와 문맥 기반 처리 덕분이며, 현재 많은 기업이 평균 30%의 운영 비용 절감을 기록하고 있다.

4) 향후 과제

가상 비서 및 챗봇의 기술은 날로 발전하고 있지만, 몇 가지 도전 과제도 존재한다. 특히, 복잡한 질의에 대한 이해와 맥락을 정확히 파악하는 것이 아직 과제로 남아 있다. 또한, 개인정보 보호와 보안문제가 지적되고 있으며, 이는 개발 단계에서 심도 있게 다루어야 한다.

가상 비서와 챗봇은 AI 기술의 일상활용을 증대시키며 사용자 경험을 혁신하는 도구로 자리 잡고 있다. 이러한 시스템은 사용자의 삶을 편리하게 만들고, 기업 운영의 효율성을 높이는 데 중요한 역할을 하고 있다. 향후 기술적 혁신과 연구 개발을 통해 더욱 정교한 AI 에이전트가 탄생하고, 이들이 우리의 생활 전반에 어떤 긍정적인 변화를 가져올지 기대된다. 지속적인 발전과 노력으로 AI 시스템은 더욱 스마트하고 안전하게 설계될 것이라 기대하고 있다.

3. 맞춤형 추천 시스템

AI 맞춤형 추천 시스템은 오늘날 AI 기술이 일상 생활과 비즈니스에 깊숙이 뿌리내린 대표적인 예로, 사용자 경험을 극대화하는 강력한 도구 중 하나다. 이 시스템은 개인의 선호도와 행동 패턴을 바탕으로 각기 다른 사용자에게 적합한 콘텐츠나 제품을 추천함으로써 참여도를 높이고 고객 만족을 극대화한다. 이번 장에서는 맞춤형 추천 시스템의 원리, 기술적 구현, 주요 사례, 연구 데이터 및 발전 가능성에 대해 심도 깊게 탐구해 보자.

1) 맞춤형 추천 시스템의 개념

맞춤형 추천 시스템은 사용자에 의해 생성되는 대량의 데이터 속에서 패턴을 찾아내어 개인 맞춤형 추천을 제공하는 알고리즘을 말한다. 추천 시스템은 사용자와 콘텐츠 간의 상호작용을 분석하여 과거의 데이터를 바탕으로 미래의 행동을 예측한다. 이는 크게 협업 필터링과 콘텐츠 기반 필터링 방식으로 분류된다.

- 협업 필터링(Collaborative Filtering)

협업 필터링은 유사한 행동이나 선호도를 가진 사용자 그룹의 데이터를 활용하여 새로운 추천을 생성하는 방식이다. 이 접근법은 크게 두 가지로 나뉘어진다:

- 사용자 기반 협업 필터링: 특정 사용자의 소비 패턴과 다른 사용자들의 행동을 비교하여 추천을 진행한다. 비슷한 취향을 가진 사용자 그룹을 찾아내어 그들이 즐긴 콘텐츠를 추천함으로써 새로운 경험을 제안한다.

- 항목 기반 협업 필터링: 특정 항목의 피드백을 통하여 유사한 항목의 피드백을 예측한다. 이는 보통 사용자가 즐겨 찾던 항목들의 속성을 분석하여 새로운 항목을

추천하는 방식으로, 넷플릭스의 영화 추천 시스템이나 아마존의 제품 추천에서 많이 사용된다.

- 콘텐츠 기반 필터링(Content-Based Filtering)

콘텐츠 기반 필터링은 사용자가 과거에 긍정적 피드백을 보낸 항목의 특징을 분석하여 유사한 항목을 추천한다. 예를 들어, 사용자가 특정 음악을 반복해서 재생한 경우, 콘텐츠 기반 추천 시스템은 해당 음악의 장르, 아티스트, 템포 등을 분석하여 비슷한 특성을 가진 다른 곡들을 추천한다.

- 하이브리드 모델(Hybrid Model)

하이브리드 모델은 협업 필터링과 콘텐츠 기반 필터링을 결합하여 각 모델이 가진 장점을 최대화하는 접근 방식이다. 이를 통해 각각의 단점을 보완하고, 보다 정확하고 풍부한 추천 결과를 생성하게 된다. 이는 특정 애플리케이션의 요구사항에 따라 유연하게 구성되며, 오늘날 높은 정확도를 요구하는 많은 서비스에서 채택하고 있다.

2) 주요 추천 시스템의 사례

- 넷플릭스(Netflix): 넷플릭스는 매년 수십만 개의 영화와 TV 프로그램을 사용자에게 개인 맞춤형으로 추천한다. 넷플릭스는 1억 명이 넘는 가입자로부터 수집한 데이터를 활용하여, 복잡한 알고리즘을 통해 사용자의 시청 이력을 분석하고 개인 맞춤형 콘텐츠를 제공한다. 넷플릭스의 추천 엔진은 사용자의 행동 데이터를 기반으로 향후 시청할 가능성이 높은 콘텐츠를 정확하게 예측하며, 이로 인해 고객 유지율을 높이는 데 크게 기여한다.

- 아마존(Amazon): 아마존은 세계에서 가장 널리 사용되는 맞춤형 추천 시스템 중 하나를 보유하고 있다. 아마존의 추천 시스템은 사용자의 구매 내역, 관심 상품, 검색 기록 등을 분석해 맞춤형 제품 추천을 제공한다. 이는 고객에게 새로운 제품을 소개하고 교차 판매를 촉진하는 데 효과적이며, 온라인 매출을 크게 증대시키는 원동력이 되고 있다.

- 유튜브(YouTube): 유튜브는 사용자의 시청 기록과 상호작용 데이터를 분석하여 가장 적합한 비디오를 추천한다. 이는 AI 엔진이 사용자가 좋아할 만한 콘텐츠를 학습해 윈도우를 통해 제공함으로써 시청

시간을 극대화한다. 유튜브의 추천 시스템은 머신러닝 알고리즘을 통해 매 순간 변화하는 사용자 취향에 적응하고 반응하는 능력을 가지고 있다.

3) 추천 시스템의 기술적 발전

- 딥러닝의 도입

딥러닝은 추천 시스템의 성능을 혁신적으로 개선하는 데 기여하고 있다. 특히, 딥러닝 기반의 강화 학습(Deep Reinforcement Learning)은 사용자의 지속적인 상호작용을 학습하여 보다 개인화된 경험을 제공한다. 이 방법은 사용자의 행동 데이터를 더 깊이 학습하여, 제품이나 콘텐츠의 맥락에 따른 추천을 가능하게 한다.

- 강화 학습과의 융합

강화 학습은 추천 시스템이 사용자의 실시간 피드백을 학습하여 추천의 품질을 더 높이는 데 도움을 준다. 이 방식은 사용자가 선택한 콘텐츠에 대한 직접적인 보상 피드백을 바탕으로, 더 나은 추천 전략을 개발하는 데 유리하다.

4) 추천 시스템의 효과와 한계

시장 분석에 따르면, 맞춤형 추천 시스템을 효과적으로 채택한 기업은 평균 20-40%의 매출 증대를 경험하였다. 이는 특히 전자상거래 및 디지털 미디어 플랫폼에서 두드러지며, 맞춤형 추천이 사용자의 구매 결정을 지원하고 참여도를 향상시키는 데 크게 기여하는 것으로 나타난다.

하지만 추천 시스템에도 여러 도전 과제가 존재한다. 특히, 사용자 프라이버시 보호, 추천 결과의 투명성 및 설명 가능성 등이 중요한 이슈로 대두되고 있다. 적절한 데이터 관리와 알고리즘의 반응성을 높이는 것은 여전히 중요한 과제이며, 이를 해결하기 위한 지속적인 연구와 개발이 필요하다.

5) 맞춤형 추천 시스템의 미래 전망

맞춤형 추천 시스템은 AI 기술의 지속적인 발전에 힘입어 더욱 세밀하고 개인화된 경험을 제공할 것이다. 고급 머신러닝 알고리즘과 빅데이터 분석 기법의 결합을 통해, 시스템은 사용자 개개인의 취향과 요구를 더욱 깊이 있게 이해할 수 있게 되며, 이를 통해 기업의 서비스를 한층 더 개인화된 방향으로 발전시킬 것으로 기대된다.

맞춤형 추천 시스템은 사용자 경험을 혁신하고 기업의 경쟁력을 강화하는 핵심 도구다. 각기 다른 분야에서 성공적으로 적용되고 있는 추천 시스템의 사례를 통해, 개인화된 경험이 사용자에게 제공하는 가치와 기업이 누릴 수 있는 이점을 확인할 수 있다. AI 기술의 발전과 함께 추천 시스템은 더욱 정교해지고 넓은 범위에서 활용되어 다양한 산업 분야에서 새롭고 창의적인 서비스를 창출할 가능성이 크다. 이러한 미래 지향적인 접근과 지속적인 발전은 사용자와 기업 모두에게 긍정적인 영향을 미칠 것이다.

4. 금융 서비스와 AI 트레이딩

금융 서비스 산업은 인공지능(AI)의 도입으로 인해 큰 변화를 겪고 있으며, AI 트레이딩은 특히 그 변혁의 중심에 있다. AI 는 데이터 분석, 시장 예측, 리스크 관리 등을 통해 금융 거래의 효율성을 높이고, 사람의 개입 없이도 적절한 투자 결정을 내릴 수 있도록 돕는다. 이번 장에서는 AI 에이전트가 금융 서비스와 트레이딩 분야에서 어떻게 활용되고 있는지에 대해 깊이 있는 설명을 제공하고자 한다.

1) AI 트레이딩의 개념

AI 트레이딩은 인공지능 시스템을 활용하여 투자 전략을 자동으로 실행하고 시장 변동성을 예측하는 기술이다. 이를 통해 인간의 개입을 최소화하고, 더 효율적이고 정교한 투자 결정을 내릴 수 있다. AI 트레이딩 시스템은 주로 다음과 같은 구성 요소를 포함한다:

- 데이터 수집 및 전처리: 금융 시장에서 실시간 데이터 스트림을 수집하고, 이를 분석 가능한 형식으로 변환한다. 이는 주가, 거래량, 경제 지표, 뉴스 기사 등 다양한 소스를 포함한다.

- 모델 훈련 및 예측: 머신러닝 알고리즘을 활용하여 역사적 데이터를 학습하고, 시장 상황을 예측한다. 여기에는 강화 학습, 신경망 모델, 결정 트리 등이 사용된다.

- 포트폴리오 최적화: 주어진 목표(예: 위험 최소화, 수익 극대화)에 맞춰 투자 포트폴리오를 구성하고 관리한다. 이는 자산 배분 전략의 핵심 부분이다.

- 실시간 거래 실행: 예측 모델이 제공한 신호에 따라 자동으로 거래를 수행한다. 이를 통해 빠른 시장 반응과 실행이 가능하다.

2) AI 트레이딩의 주요 사례

- 로보어드바이저(Robo-advisor): 로보어드바이저는 개인 투자자를 위한 자동화된 자산 관리 서비스를 제공한다. AI 알고리즘을 통해 투자자의 재무 목표와 위험 허용 범위에 맞춰 포트폴리오를 구성하고 조정한다. 예를 들어, 웰스프론트(Wealthfront)나 베터먼트(Betterment) 같은 기업은 투자자에게 개인화된 투자 전략을 제공하여 높은 고객 만족도를 달성하고 있다.

- 고빈도 거래(HFT): 고빈도 거래는 밀리초 단위로 빠르게 거래를 수행하여 시장 기회를 포착하는 전략이다. AI 는 이러한 거래에서 초 단위로 변화하는 데이터를 분석하고 의사결정을 자동화한다. 고빈도 거래는 막대한 데이터 처리와 초고속 실행을 필요로 하며, 블랙록(BlackRock) 등 주요 투자 기관에서 채택하고 있다.

3) 금융 서비스에서의 AI 활용

AI 는 단순한 거래를 넘어 더 넓은 금융 서비스 분야에서도 혁신을 이끌고 있다. 위험 평가, 사기 탐지, 고객 서비스, 신용 평가 등에서 중요한 역할을 한다.

- 위험 관리: AI 시스템은 투자 포트폴리오의 위험을 실시간으로 평가하고, 급변하는 시장 상황에서 시뮬레이션을 통해 잠재적 손실을 사전에 파악한다. 이런 시스템은 금융 기관의 리스크 관리 부서에서 중요한 도구로 사용된다.

- 사기 탐지: 머신러닝은 비정상적 거래 패턴을 식별하고, 실시간으로 경고를 발생시켜 사기 행위를 감지한다. 이는 신용 카드 거래, 온라인 뱅킹 거래 등에서 매우 효과적이다.

- 고객 서비스 자동화: 챗봇과 같은 AI 도구는 고객 문의에 대해 신속하고 정확하게 응답하여 서비스 효율성을 높인다. 이는 고객 지원 비용을 절감하고 고객 만족도를 높이는 데 기여한다.

최근 연구에 따르면 AI 를 도입한 금융 서비스에서는 운영 효율성이 평균 30-40% 증가했고, 투자 수익률은 10-20%가량 개선된 것으로 나타났다. 또한, 금융 사기에 대한 탐지율은 AI 의 등장을 통해 95% 이상으로 크게 상승했다.

4) AI 트레이딩 및 금융 서비스의 도전 과제

AI 트레이딩의 도입에는 여러 도전 과제 및 주의할 점이 있다. 특히 알고리즘의 복잡성, 시장의 유동성과 변동성에 대한 적응력, 규제 문제 등이 주요 이슈다.

- 알고리즘 투명성: 금융 당국 및 투자자들은 AI 시스템의 투명성을 요구하며, 설명 가능 인공지능 (Explainable AI) 기술을 활용하여 의사결정 과정을 명확히 할 수 있다.

- 규제 준수: 각국의 금융 관련 법규와 규제에 철저히 맞춰 AI 시스템을 설계하여 법적 문제를 사전 방지해야 한다. 정기적인 알고리즘 검토와 내부 통제가 중요하다.

- 데이터 품질 개선: AI 모델의 정확도를 보장하기 위해 고품질의 최신 데이터를 수집하고, 데이터 전처리를 통해 노이즈를 제거하는 것이 필수적이다.

5) AI 의 미래와 금융 서비스의 혁신

AI 가 금융 서비스에 통합됨에 따라, 미래의 금융 산업은 점차 더 많은 자동화와 지능적 시스템을 채택하게 될 것이다. 이는 금융 기관이 신속하게 변화에 대응할 수 있는 유연성을 제공하며, 고객 경험을 개인화하여 차별화된 서비스를 창출하는 원동력이 될 것이다.

AI 트레이딩과 금융 서비스에서의 AI 활용은 금융 산업의 가치 사슬 전반에 걸쳐 혁신을 가져오고 있다. 이 기술을 최적화하여 활용하는 기업은 변화하는 시장 환경에서 경쟁력을 유지할 수 있으며, 더 나은 투자 성과와 만족스러운 고객 경험을 제공할 수 있을 것이다. 연구와 현실 적용에서 얻은 성과를 통해 금융 산업의 미래를 더욱 밝게 만들 수 있는 길이 열리고 있다. AI 의 발전은 금융 시장의 혁신을 주도하고, 산업 전반에 걸쳐 새로운 기회를 창출할 것이다.

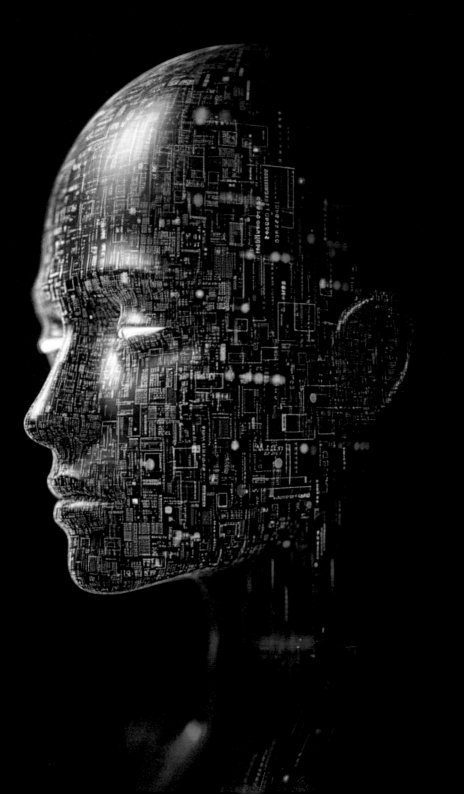

4장
AI 에이전트의
경제적 및 사회적 영향

1. 경제적 파급효과와 산업 변화

AI 에이전트가 사회와 경제에 미치는 영향은 매우 다양한 측면에서 나타난다. AI 기술은 산업 전반에 걸쳐 혁신을 일으키고 있으며, 이는 경제 성장의 주된 촉매제로 작용하고 있다. 이번 장에서는 AI 에이전트의 경제적 파급효과와 산업 변화에 대해 심층적으로 분석해 보겠다.

1) AI 에이전트의 경제적 파급효과

AI 기술은 경제적 파급효과를 창출하며 많은 산업에 긍정적인 영향을 미치고 있다. AI 에이전트는 효율성과 생산성을 높임으로써 기업의 운영 방식과 비용 구조를 근본적으로 변화시키고 있다.

- 생산성 향상: AI 는 반복적이고 시간이 많이 소요되는 작업을 자동화하여 인건비를 줄이고 생산성을 증가시킨다. 이를 통해 기업들은 더 적은 비용으로 더 많은 제품과 서비스를 생산할 수 있게 된다.

- 비용 절감 효과: AI 기반 시스템은 오류를 줄여 품질을 개선하고, 데이터 분석을 통해 의사결정의 정확성을 높인다. 이는 결과적으로 기업 운영의 효율성을 올리는 효과를 가져온다.

AI 의 경제적 효과를 보여주는 여러 연구가 있다. 맥킨지 보고서는 AI 가 2030 년까지 글로벌 GDP 에 13 조 달러를 기여할 것으로 예측하며, 이는 세계 경제 성장률을 1.2%포인트 높일 수 있는 잠재력을 지닌다. 이 보고서는 AI 가 전 세계적으로 안정적이고 지속 가능한 성장을 촉진할 수 있음을 시사한다.

2) 산업 변화와 혁신 촉진

AI 는 여러 산업에서 파괴적 혁신을 일으키고 있으며, 이는 새로운 시장 기회를 창출하고 기존 비즈니스 모델을 재편성하는 데 기여하고 있다.

AI 는 제조업에서 스마트 팩토리와 인더스트리 4.0 의 근간을 형성하고 있다. 스마트 팩토리는 AI 기반의 예측 분석과 자동화를 통해 운영 효율성을 높이는 데 주력한다.

독일의 지멘스는 자사의 공장에서 AI 를 활용해 생산 라인을 최적화하고 품질 관리 프로세스를 자동화했다. 이를 통해 오류율을 20% 이상 줄였으며 생산성을 크게 향상시켰다. 기계 학습 모델은 실시간 데이터를 통합해 기계 유지보수를 예측하며, 이는 기계 가동 중단 시간을 줄이고 비상 정지를 예방하는데 유용하다.

AI 에이전트는 의료 분야에서 진단의 정확성과 치료의 효율성을 높이는 데 중요한 역할을 한다. 딥러닝 기반의 의료 영상 분석 솔루션은 판독의 정확도를 높이고 빠른 응답을 가능하게 한다.

IBM 의 왓슨은 방대한 양의 의료 데이터를 분석하여 의사에게 양질의 진단 정보를 제공한다. 이는 치료 계획 수립에 있어 신뢰도를 높이고 치료 성공률을 향상시키는 데 기여한다. AI 는 개인 맞춤형 의료를 가능하게 하며, 환자의 유전자 정보를 기반으로 맞춤형 약물 처방이 기능해졌다.

AI 는 금융 산업에서의 변화를 주도하고 있으며, 고객 경험의 개인화, 위험 관리, 사기 탐지 등 다양한 분야에서 사용되고 있다. 제이피모건은 AI 를 통해 금융 시장의 변동성을 예측하고 최적의 투자 결정을 내리고 있다. 이를 통해 투자 수익률을 향상시키고 투자 리스크를 최소화하는 데 도움을 주고 있다.

3) AI 의 사회적 파급효과

경제적 변화 외에도 AI 는 사회 전반에 걸쳐 다양한 영향을 미치고 있다. 특히, 일자리의 양과 질, 소득 분배, 사회적 불평등 등과 관련된 논의가 활발히 진행되고 있다.

MIT 의 한 연구에 따르면, AI 의 도입은 고숙련 직업의 수요를 증가시키는 한편, 단순 반복 업무와 같은 저숙련 일자리를 감소시킬 가능성이 높아지면서 새로운 도전 과제를 제기하고 있다. 이는 인력 재교육과 지속적인 학습의 필요성을 강조하며, 정책 입안자들에게는 노동 시장의 변화에 대비할 수 있는 전략 마련을 요구한다.

새로운 기술 환경에 대응하기 위해 숙련도를 높이는 교육과 재훈련 프로그램에 대한 투자가 증가하고 있다. 이는 경제적 기회를 확대하는 방안으로 주목된다.

4) AI 도입의 장벽과 해결 방안

AI 도입은 많은 이점을 제공하지만 장벽도 존재한다. 데이터의 품질, 프라이버시 문제, 윤리적 고려와 같은 도전 과제가 있으며, 이를 극복하기 위한 노력이 필요하다.

AI 모델의 성과는 데이터의 품질에 크게 좌우된다. 고품질 데이터 확보와 데이터 정제 프로세스를 체계화하는 것이 중요하다. 기업은 정기적인 데이터 관리와 품질 점검을 통해 데이터 정확성과 완전성을 유지해야 한다.

AI 윤리는 사용자 데이터에 대한 적절한 보호를 강조한다. 점점 더 많은 기업이 투명한 데이터 사용 정책을 채택하고 있으며, AI의 공정성과 책임을 높이는 방향으로 나아가고 있다.

AI 에이전트는 경제적, 사회적 영역에서 강력한 영향력을 발휘하고 있다. 이 기술은 산업 구조의 변화를 가져오며, 새로운 기회를 창출하고 혁신을 촉진한다. 그러나 이러한 변화는 기업과 정책 입안자에게 지속적인 학습과 적응을 요구하며, 저숙련 노동자의 도전과제를 해결할 수 있는 방안을 마련해야 한다. AI 는 산업과 사회 전반에 걸쳐 긍정적 변화를 주도할 수 있으며, 이는 궁극적으로 지속 가능한 경제 성장을 지원하는 기반이 될 것이다.

2. 고용 시장과 직업의 미래

AI 에이전트의 등장은 고용 시장에 큰 변화를 가져오고 있으며, 직업의 미래에 대한 다양한 논의를 불러일으키고 있다. AI 는 작업의 자동화, 새로운 경력 기회 창출, 일의 성격 변화를 통해 노동 시장을 재구성하고 있으며, 이는 긍정적인 영향과 도전 과제를 동시에 나타낸다. 이번 장에서는 이러한 변화를 심층 분석하고, AI 가 고용 시장과 직업의 미래에 미치는 영향을 탐구하겠다.

1) AI 의 영향 - 자동화와 재구성

AI 와 자동화 기술은 반복적이고 규칙적인 업무를 대체함으로써 기존 일자리를 재편성하고 있다. 이로 인해 효율성이 높아지고 비용이 절감되지만, 일부 직업은 감소의 위기에 처하게 된다.

자동화된 시스템은 대량의 데이터를 처리하고, 일정한 패턴을 인식하여 의사결정을 내린다. 이러한 시스템은 제조업, 서비스업 등 다양한 분야에서 활용되며, 예측 분석과 작업의 표준화를 통해 인력의 필요성을 감소시킨다.

옥스퍼드 대학의 2023 년 연구에 따르면, 미국의 일자리 중 약 47%는 자동화에 의해 대체될 가능성이 있는 것으로 나타났다. 이 연구는 특히 운전, 조립, 데이터 입력과 같은 직종이 취약하다고 분석했다. 그러나 이는 더 많은 고급 기술 습득과 새로운 직업 기회의 출현을 시사하며, 장기적인 관점에서 노동 시장의 재편성을 예견한다.

2) 새로운 직업 창출과 고숙련 직업의 증가

비록 일부 단순 노동직이 감소할 수 있지만, AI 는 새로운 직업을 창출하고 고숙련 인력에 대한 수요를 증가시킨다. 이는 AI 기술의 설계, 개발, 유지보수, 데이터 분석 등에 관련된 직업군을 포함한다.

- 데이터 과학자: AI 와 머신러닝 모델을 개발하고 분석하는 직무로, 방대한 데이터 해석을 통해 통찰력을

제공한다. 특히, 기업의 전략적 의사결정을 지원하는 역할을 한다.

- AI 윤리 및 법률 전문가: AI의 발전과 함께 윤리적, 법적 문제를 다루는 전문가들의 수요가 증가하고 있다. 이는 AI의 책임성과 투명성을 보장하기 위한 정책 수립 및 규제 준수 등의 업무를 포함한다.

- 로봇 기술자: 제조 및 서비스 로봇에 대한 설계, 프로그래밍, 유지보수를 담당하며, 복잡한 시스템을 관리하는 직무다.

3) 산업별 AI 도입의 영향 및 변화

AI 기술은 다양한 산업에 걸쳐 작업의 성격과 방식에 강력한 영향을 미치고 있다. 이는 기존의 비즈니스 모델을 변화시키고, 작업의 새로운 접근법을 제안하며, 더 큰 효율성을 추구하게 만든다.

AI 자동화는 제조 산업에서 로봇 공학 및 스마트 팩토리 솔루션을 통합하여 생산성을 크게 향상시킨다. 이는 인력 수요의 질적 변화를 요구하며, 보다 고급 기술을 가진 인재가 필요해진다. BMW는 공정 자동화를 통해 생산성을 높이고 비용을 절감했다. 자동화는 조립, 용접 등 반복 작업을 효율적으로 처리하며, 인간은 기계 유지보수 및 품질 관리에 집중하게 된다.

의료 산업에서는 AI가 진단 보조, 수술 지원, 환자 관리 등 다양한 분야에 도입되어 의료 서비스의 질을 높이고 있다. AI가 환자의 건강 상태를 실시간 모니터링하고 조기 진단을 지원함으로써, 의료진의 업무가 줄어들고 보다 복잡한 의사결정에 집중할 수 있게 된다. 또한 개인 맞춤형 치료법을 개발하여 환자의 신체적인 특성에 맞춘 치료를 제공한다.

4) 사회적 변화와 대응 전략

AI의 도입은 노동 시장뿐만 아니라 사회 전반에 걸쳐 큰 변화를 가져오고 있다. 이러한 변화에 대응하기 위해서는 개인, 기업, 정부가 함께 총체적으로 접근해야 한다.

새로운 기술 환경에 맞추어 인력을 재훈련시키고, 디지털 리터러시 및 기술 교육을 강화하는 것이 중요하다. 이는 직업 전환을 지원하며, 숙련도를 높이는 데 필수적인 요소다. 여러 정부와 기업들은 고급 기술 교육 센터를 설립하고, 디지털 훈련 프로그램을 제공하여 AI 시대에 필요한 인재 양성에 힘쓰고 있다. 이는 변화하는 시장 요구 사항에 빠르게 대응할 수 있는 방법이다.

AI 와 관련된 사회적 이슈를 해결하기 위해 포괄적인 경제 정책이 필요하다. 실업 보험 확장, 사회 안전망 강화, 인력 재배치 지원 등 다양한 방안이 제시되고 있다.

여러 국가는 AI 기술 발전을 촉진하면서도 그로 인한 부정적 영향을 최소화하기 위해 규제 및 지원 정책을 마련하고 있다. 이를 통해 변화의 속도를 조절하고 사회적 수용성을 확보한다.

세계경제포럼(WEF)의 보고서에 따르면, AI 로 인해 2025 년까지 전 세계에서 약 9700 만 개의 새로운 일자리가 창출될 것으로 기대하고 있다. 그러나 약 8500 만 개의 일자리가 자동화로 대체될 위험에 처해 있어, 새로운 직업의 창출과 기존 직업의 재구성이 필요하다. 이는 인력 개발과 정책 혁신이 동시에 이루어져야 한다는 점을 강조한다.

5) 미래의 직업 - AI 와 인간의 협업

AI 의 도입은 인간과 기계의 협업 모델 강화를 통해 새로운 직업 환경을 조성할 가능성이 크다. 이는 AI 가 인간의 직관과 창의성을 보완하고, 더 나은 의사결정을 위한 도구로 사용될 수 있을 것을 의미한다.

다양한 산업에서 AI 를 활용한 직무 성과 개선 프로그램이 개발되고 있다. 예를 들어, AI 는 데이터를 기반으로 직원들이 직무 성과를 향상시킬 수 있도록 개인화된 피드백과 조언을 제공하며, 이는 직무 효율성을 높이는데 도움을 준다.

AI 에이전트는 고용 시장과 직업의 미래에 다방면으로 영향을 미치고 있으며, 이에 따른 다양한 도전과 기회를 제공한다. 변화하는 환경에 적응하기 위해서는 지속적인 교육과 정책 지원, 사회적 합의가 필수적이다. 이러한 변화에 능동적으로 대응하고 AI 의 이점을 최대화함으로써, AI 는 더 나은 미래를 위한 성장의 초석이 될 수 있을 것이다. AI 와 인간의 조화로운 협력이 새로운 혁신의 지평을 열 것이며, 이는 산업과 사회 전반에 걸쳐 긍정적인 변화를 가져올 것으로 기대된다.

3. 윤리적 문제 및 규제 과제

AI 에이전트의 발전은 경제적, 사회적 이점과 함께 다양한 윤리적 문제와 규제 과제를 야기하고 있다. 이러한 문제는 정보 보호, 편향성, 책임소재 등 다양한 측면에서 나타나며, 사회 전반에 걸쳐 심도 깊은 논의가 필요하다. 이번 장에서는 AI 에이전트의 윤리적 문제와 규제 과제를 탐구하고, 이를 해결하기 위한 접근 방식을 제안한다.

1) AI 와 윤리적 문제

AI 의 고도화는 다양한 윤리적 이슈를 수반한다. 이는 개인 정보 보호, 알고리즘의 편향성, 자동화로 인한 사회적 영향 등 여러 측면에서 눈에 띄게 나타난다.

AI 시스템은 막대한 양의 데이터를 수집하고 처리한다. 이 과정에서 개인의 민감한 정보가 포함될 수 있으며, 이는 프라이버시 침해의 위험을 증가시킨다.

AI 가 데이터를 분석하는 과정에서 사용자의 개인정보가 누출되거나 오용될 가능성이 존재한다. 이는 특히 고객 관리, 의료 등 민감한 분야에서 매우 중요한 문제로 대두된다. 2018 년 페이스북의 데이터 유출 사건은 AI 가 수집한 사용자 데이터의 중요성과 보안 문제를 전 세계에 알린 계기가 되었다.

AI 모델은 훈련 데이터의 편향성을 그대로 반영할 수 있어, 공정한 결과를 보장하기 어렵다. 이는 인종, 성별 등의 편견 문제로 이어질 수 있다.

2021년 MIT의 연구는 얼굴 인식 AI가 백인 남성에 비해 유색 인종 여성의 인식을 잘못할 확률이 34% 더 높다고 발표했다. 이는 AI 기술의 편향성 문제를 극명하게 보여준다.

2) 규제 과제와 도전

AI 기술의 급격한 발전은 이에 맞는 규제 및 법적 프레임워크의 필요성을 증가시키고 있다. 그러나 기술의 빠른 변화 속도에 비해 규제 개발은 종종 뒤처지기 일쑤다.

AI 시스템에서 문제가 발생할 경우, 그 책임을 어떻게 규명할 것인가가 중요한 과제다. AI가 자율적으로 의사결정을 내릴 때, 오류나 사고에 대한 법적 책임은 시스템 개발자, 운영자, 또는 사용자가 질 수 있다. 자율주행차 사고의 경우 운전자, 제조사, 시스템 개발자 중 누구에게 책임이 있는지를 두고 법적 분쟁이 일어나기 쉽다.

AI 는 국경을 초월하여 적용되기 때문에 국제적 규제가 중요하다. 각 국가 별로 다른 법적 기준이 있을 경우 AI 기술의 개발과 적용이 어려워질 수 있다. 유럽연합(EU)은 AI 윤리 및 규제에 관한 가이드라인을 개발하고 있는데, 이는 개인정보보호규정(GDPR)과 함께 AI 분야에 적용될 예정이다.

3) 윤리적 AI 를 위한 접근 방식

AI 시스템을 설계하는 초기 단계에서부터 윤리적 문제를 고려함으로써, 잠재적 위험을 최소화할 수 있다. 구글은 AI 의 개발 및 활용에 있어 'AI 의 책임' 원칙을 수립하고, 이를 모든 개발 단계에 반영하는 정책을 시행하고 있다.

AI 를 설계하고 운영하는 과정에서 다양한 관점과 이해관계자의 의견을 반영하는 것이 중요하다. 이는 특히 소수자 및 약자의 권익 보호에 필수적이다. 알고리즘 개발 단계에서 다양한 데이터 셋을 검토하고, 이를 통해 모델의 공정성을 검사하는 절차를 포함할 수 있다.

4) AI 기술의 책임 있는 사용

AI 가 적절하고 책임 있게 사용되도록 장려하는 다양한 방안이 있다. 이는 AI 커뮤니티와 사회 전반의 협력 속에서 실현될 수 있다.

AI 의 윤리적 문제와 책임 있는 사용에 대한 교육과 인식제고 캠페인이 중요하다. 이는 기술 개발자뿐만 아니라 일반 사용자들에게 AI 의 올바른 사용법을 교육할 수 있다. 여러 대학과 연구 기관에서 AI 윤리 과정을 개설하고 있으며, 업계에서는 책임 있는 AI 사용에 관한 캠페인을 진행하는 경우도 많다.

AI 와 관련된 윤리적 문제를 해결하기 위한 다양한 연구가 진행 중이다. 최근 연구에 따르면, AI 프로젝트에서 윤리 검토와 평가를 포함한 경우 프로젝트의 신뢰도가 약 30% 증가한다고 한다. 이는 AI 의 사회적 수용성을 높이는 데 기여할 수 있다.

AI 에이전트의 윤리적 문제와 규제 과제는 기술 발전의 필수적이다. AI 의 사회적 영향을 최소화하고 긍정적 변화를 촉진하기 위해, 규제 프레임워크의 구축과 윤리적 기준의 확립이 필요하다. 지속적인 연구, 법적 정비, 다각적인 협력이 이뤄질 때, AI 는 보다 안전하고 신뢰할 수 있는 기술로 발전할 수 있을 것이다. 이러한 노력을 통해 AI 는 사회적 가치를 증대시키고, 지속 가능한 발전을 지원하는 핵심 기술로 자리 잡을 수 있다.

4. 사회적 수용과 문화적 변화

AI 에이전트의 발전은 사회적 수용과 문화적 변화에 깊은 영향을 미치고 있다. 기술이 일상생활에 스며들면서 사람들의 생각과 행동에도 영향을 주고 있으며, 이는 사회적 규범과 관행의 변화를 촉진한다. 이번 장에서는 AI 의 사회적 수용과 문화적 변화에 대해 분석하고, 이와 관련된 사례와 연구 자료를 통해 깊이 있는 이해를 제공하고자 한다.

1) AI 의 사회적 수용

AI 가 빠른 속도로 성장하면서, 그 수용도와 신뢰성을 높이기 위한 여러 방안이 필요하게 되었다. AI 기술은 일반 대중에게 불안감과 기대감을 동시에 일으키며, 이는 사회적 논의의 주요 주제로 자리 잡고 있다.

AI 의 수용은 주로 그 기술이 얼마나 편리하고 안전하게 사용될 수 있는가에 달려 있다. 사용자의 프라이버시 보호, 데이터 보안, 투명성 등이 중요한 역할을 하며, 이러한 요소들은 AI 의 신뢰성을 결정짓는 기초가 된다.

아마존 알렉사, 구글 홈과 같은 스마트 스피커는 AI 가 어떻게 일상에 녹아들 수 있는지를 보여준다. 이들은 대화형 에이전트로서 사용자의 명령에 따라 음악 재생, 일정 관리, 정보 제공 등의 기능을 수행한다. 이러한 기술은 매일 사용하는 도구로 자리 잡으며 사용자의 편리함을 크게 향상시켰다.

AI 의 도입은 문화적 변화도 촉진하고 있다. 사람들은 새로운 기술을 통해 다양한 방식으로 정보를 얻고, 커뮤니케이션하며, 생활 방식을 혁신하고 있다.

교육에서의 AI 는 교육 방식에 큰 변화를 가져오고 있다. AI 기반 학습 플랫폼은 학생의 학습 스타일을 분석하여 맞춤형 교육을 제공한다. 이는 교육의 개인화를 촉진하며, 학습자 중심의 교육을 구현할 수 있도록 돕는다.

직장 문화에서도 AI 도구의 활용은 기업 내 업무방식을 혁신하고 있다. 직원들은 반복적인 작업을 AI 에게 맡기고, 더 창의적이고 전략적인 업무에 집중할 수 있게 된다. 세계경제포럼의 보고서에 따르면, 2030 년까지 AI 기술을 기반으로 한 일자리 중 약 50%는 아직 창출되지 않은 새로운 유형의 직업일 것으로 전망된다. 이는 AI 기술의 발전이 직장 문화와 일의 본질을 어떻게 변화시킬지를 보여주는 지표이다.

3) 사회적 수용을 위한 다양한 노력

AI 의 사회적 수용을 높이기 위한 다양한 노력이 세계적으로 진행되고 있다. 기업과 정부, 학계가 협력하여 신뢰할 수 있는 AI 환경을 조성하려는 시도가 이루어지고 있다.

사용자 교육은 AI 수용성을 높이는 주요 방법 중 하나이며, AI의 작동 원리와 안전한 사용법에 관한 교육은 기술에 대한 이해를 높이고 신뢰를 구축하는 데 기여한다.

여러 기술 회사와 학술 기관은 일반 대중을 위한 AI 관련 교육 프로그램을 제공하고 있으며, 이는 AI 기술을 더 쉽게 이해할 수 있는 기회를 제공한다.

정부와 민간 부문, 시민단체 간의 사회적 대화와 협력이 중요하게 되었다. 이는 AI 가 초래할 수 있는 윤리적, 법적, 사회적 과제를 극복하는 데 큰 역할을 한다. 유럽연합은 AI 윤리 및 정책에 관한 대규모 협의체를 운영하며, 이는 이해 관계자들이 폭넓은 의견을 공유하고 통합할 수 있는 플랫폼을 제공한다.

4) AI 수용의 장애물과 극복 방안

AI 의 수용성 증대에는 여전히 극복해야 할 장애물이 있다. 특히, 기술에 대한 불신과 윤리적 우려, 데이터 프라이버시 문제가 대표적이다.

많은 사람이 AI 의 의사 결정 과정에 대해 규모가 작든 크든 의문을 품고 있다. 이는 AI 가 편향되거나 부정확할 수 있다는 우려에서 기인하며, 이를 해결하기 위한 철저한 검증이 필요하다.

극복 방안으로 AI 의 투명성과 설명 가능성을 개선하여 사용자의 신뢰를 얻는 것이 중요하다. 기술 업체들은 이를 위해 알고리즘의 공정성과 책임성을 높이는 방향으로 연구 및 개발을 진행하고 있다.

사용자의 데이터를 수집하고 분석하는 과정에서 발생할 수 있는 프라이버시 침해 문제는 여전히 큰 이슈로 남아 있다. 이 문제를 해결하는 것이 AI 수용도를 높이는 데 필수적이다. 극복 방안으로 데이터 암호화와 익명화 기술을 강화하고, 사용자가 데이터에 대한 통제권을 가질 수 있도록 하는 개인정보 보호 정책 강화가 필요하다.

AI 에이전트의 사회적 수용과 문화적 변화는 기술 발전의 필연적인 결과로, 이를 긍정적으로 활용하기 위한 노력이 필요하다. 교육과 참여, 사회적 협력, 불신 해소 방안을 통해 AI 가 가져오는 이점을 극대화하고, 기술에 대한 신뢰를 바탕으로 더 나은 사회적 변화를 이끌어 낼 수 있다. AI 기술이 문화적 변화를 주도하며 더 나은 미래를 위한 기반이 될 수 있도록 지속적인 연구와 노력이 필요하다. AI 는 이후 세대의 사회 구조와 생활 방식을 혁신하는 데 기여할 것이며, 이는 지속 가능한 발전과 조화를 이루는 방향으로 나아가야 할 것이다.

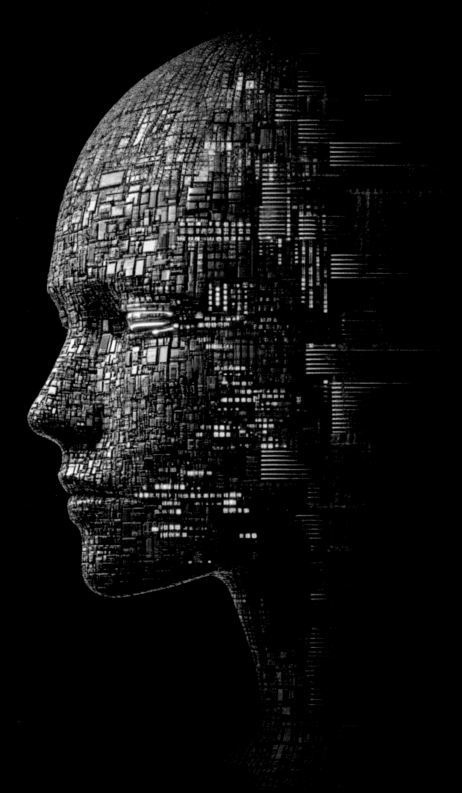

5장
AI 에이전트 도입 전략

1. 조직 내 AI 에이전트의 배치 전략

AI 에이전트를 조직 내에 효과적으로 배치하는 것은 기업의 경쟁력을 높이는 중요한 전략이다. 이는 업무 효율성을 개선하고, 데이터 기반의 의사결정을 지원하며, 인적 자원을 혁신적이고 전략적 업무에 집중시킬 수 있게 한다. 이번 장에서는 조직 내 AI 에이전트 배치 전략에 대해 심층적으로 살펴보고, 성공적인 도입을 위한 핵심 요소를 분석하겠다.

1) AI 에이전트 배치의 중요성

AI 에이전트를 효과적으로 배치하면 조직은 경쟁 우위를 획득하고 운영 효율성을 높일 수 있다. 이는 업무 자동화, 데이터 분석, 고객 경험 개선 등 다양한 측면에서 가시적인 성과를 가져온다. AI 에이전트 배치는 주로 반복적이고 시간이 많이 소요되는 작업을 자동화하고,

데이터를 활용한 인사이트 추출을 통해 의사결정을 최적화하는 것을 목표로 한다. 이와 함께 적합한 AI 기술을 선택하고, 조직 내 IT 인프라와 통합하는 작업이 필요하다.

2) 성공적인 배치 전략을 위한 단계별 접근

1 단계: 목표 설정 및 현황 분석

AI 배치의 첫 단계는 명확한 비즈니스 목표를 설정하고, 조직의 현황 및 니즈를 분석하는 것이다. 어떤 부서나 업무에 AI 를 적용할지 결정하는 데 이는 중요하다.

은행에서는 고객 상담 업무를 자동화하기 위한 목표를 설정할 수 있으며, 이를 통해 대기 시간을 줄이고 고객 만족도를 높일 수 있다.

2 단계: 적합한 AI 솔루션 선정

조직의 요구에 맞는 AI 솔루션을 선택하는 것이 중요하다. 기술 스택, 비용, 도입 난이도 등을 고려해야 한다.

자연어 처리(NLP)와 머신러닝 모델이 결합된 AI 솔루션은 고객 서비스의 자동화를 지원하고, 대규모 데이터 분석을 통해 예측 모델을 개발하는 데 유용하다.

3단계: 데이터 준비 및 통합

AI 솔루션의 효과적인 작동을 위해 필수적인 것은 우수한 데이터 품질과 체계적인 데이터 통합이다.

아마존은 다양한 데이터 소스를 통합하여 판매 예측 및 재고 관리에 AI 솔루션을 활용하고 있다.

4단계: 파일럿 프로젝트 수행

작은 스케일에서 파일럿 프로젝트를 운영하여 AI 적용 가능성을 테스트하고, 리스크를 최소화한다.

MIT의 연구에 따르면, 파일럿 단계에서 얻은 피드백을 기반으로 한 조정은 후속 도입 시 성공률을 약 30% 향상시키는 데 도움이 된다.

5단계: 전사적 확장 및 운영

파일럿 프로젝트의 성공 이후, 전사적으로 AI 에이전트를 확장하고 운영한다. 이때 IT 인프라의 지원도 필요하다.

6단계: 지속적인 개선과 평가

정기적으로 AI 솔루션의 성과를 평가하고, 지속적인 학습과 개선을 통해 최적의 운영 상태를 유지한다.

3) AI 에이전트의 조직 내 배치 사례

- 금융 산업: 많은 금융 기관들이 AI 를 활용하여 사기 탐지, 고객 서비스 체계, 투자 포트폴리오 관리 등을 자동화하고 있다. 이는 금융 거래의 정확도와 보안성을 높이는 데 기여한다.

HSBC 은행은 AI 를 활용한 사기 탐지 시스템을 구축하여 의심스러운 거래를 실시간으로 감시하고 예방 조치를 취하고 있다.

- 제조업: 제조업에서는 생산 공정의 자동화와 공급망 관리 최적화에 AI 에이전트를 활용하고 있다. 이는 생산성 증가와 비용 절감을 가능케 한다.

지멘스는 AI 를 이용해 생산 라인을 모니터링하고 예측 유지보수를 수행하여 기계 다운타임을 최소화하고 생산 효율성을 높였다.

4) AI 배치의 도전과 극복 방안

AI 도입은 조직 문화에 큰 변화를 요구하며, 이를 극복하기 위한 변화 관리가 필수적이다. 직원의 저항을 최소화하고 기술 수용성을 촉진하기 위한 교육과 훈련 프로그램이 필요하다.

구글은 AI 배치를 위한 문화적 수용도와 적극적인 참여를 이끌어내기 위해 내부 워크숍과 교육 프로그램을 실시하고 있다.

데이터의 품질과 보안은 AI 성공에 있어 매우 중요하다. 데이터 관리 체계를 확립하고, 보안 프로토콜을 강화하여 개인정보 보호를 확실히 해야 한다.

5) 연구 데이터와 통계

적절한 AI 배치 전략을 통해 기업의 생산성은 평균 30% 증가하고, 운영 비용은 약 20% 감소하게 될 것이라는 여러 보고서가 있다. 이는 장기적으로 기업 경쟁력을 강화하는 긍정적인 결과를 가져온다.

AI 에이전트의 조직 내 배치는 신중한 계획과 단계별 접근을 필요로 하며, 이를 통해 기업은 인공지능의 혜택을 최대한으로 누릴 수 있다. AI 기술의 빠른 발전에 발맞추어 지속적인 개선과 혁신을 통해 더 나은 경영 성과를 창출할 수 있다. 이러한 배치 전략은 기업의 경쟁력을 강화하고, 시장 변화에 신속히 대응할 수 있는 유연성을 제공할 것이다. AI는 이제 단순한 기술을 넘어 조직 성과를 극대화할 수 있는 전략적 자산으로 자리 잡았다.

2. 데이터 관리 및 인프라 구축

AI 에이전트를 효과적으로 도입하려면 데이터 관리와 인프라 구축은 필수적이다. 데이터는 AI 시스템의 성능을 좌우하는 핵심 요소이며, 안정적이고 확장 가능한 인프라는 AI 시스템이 원활하게 작동할 수 있도록 지원한다. 이번 장에서는 AI 도입을 위한 데이터 관리와 인프라 구축에 대해 심도 있게 다뤄보겠다.

1) 데이터 관리의 중요성

효과적인 데이터 관리는 AI 의 성공적인 구현을 위한 필수 요건이다. 데이터의 품질, 접근성, 안정성은 모든 AI 모델의 성능을 직접적으로 영향 준다.

- 데이터 수집 및 통합: 다양한 소스에서 데이터를 수집하고 이를 하나의 플랫폼으로 통합하는 과정이다. 이 단계에서 데이터의 정확성, 일관성, 완전성이 보장되어야 한다.

- 데이터 전처리: 수집된 데이터를 클리닝하고 정제하는 과정으로, 노이즈와 오류를 제거하여 AI 모델이 효율적으로 학습할 수 있는 환경을 만든다.

- 데이터 관리 플랫폼: 중앙에서 데이터를 관리하고 모니터링할 수 있도록 설계된 시스템으로, 데이터의 보안 및 접근성을 높인다.

넷플릭스: 넷플릭스는 사용자의 시청 데이터를 실시간으로 수집, 통합하여 콘텐츠 추천 엔진을 운영한다. 이를 통해 사용자의 취향을 반영한 맞춤형 추천 서비스를 제공한다.

IDC 보고서에 따르면, 기업이 데이터 품질을 개선할 경우 AI 모델의 성능이 최대 50%까지 향상될 수 있다고 한다. 이는 데이터 관리가 얼마나 중요한지를 단적으로 보여준다.

2) 인프라 구축의 핵심 요소

AI 시스템을 지원하는 인프라는 안정적이고 확장 가능한 구조를 가져야 한다. 클라우드 컴퓨팅, 데이터 스토리지, 네트워크 인프라 등이 주요 구성 요소다.

- 클라우드 컴퓨팅: 유연하고 확장성 있는 컴퓨팅 자원을 제공하여 AI 작업 부하를 효과적으로 처리할 수 있게 한다. 구글 클라우드 AI, 아마존 AWS AI, MS Azure AI 등이 대표적인 클라우드 서비스 제공자다.

- 데이터 스토리지: 대량의 데이터를 저장할 수 있는 해결책으로, 데이터베이스와 데이터 레이크(Data Lake)를 포함한다. 이는 데이터를 구조화하고 쉽게 검색할 수 있도록 한다.

- 네트워크 인프라: 빠르고 안정적인 데이터 전송을 지원하여 AI 시스템이 실시간으로 데이터를 처리할 수 있게 한다.

아마존 웹 서비스(AWS): AWS는 다양한 AI 서비스와 데이터 처리 솔루션을 제공하며, 기업들이 AI 모델을 클라우드 환경에서 운영할 수 있도록 지원한다.

가트너의 조사 결과에 따르면, 글로벌 기업의 80% 이상이 클라우드 기반 AI 솔루션에 투자하고 있으며, 이는 운영 효율성을 40% 이상 높이는 데 기여하고 있다.

3) 데이터 관리 및 인프라 구축 전략

- 데이터 전략 수립: 조직의 목표에 맞는 데이터 전략을 수립하여 데이터 수집, 저장, 분석 과정의 효율성을 확보한다.

- 적합한 인프라 선택: 조직의 규모와 필요에 맞는 적절한 인프라를 선택하여 구축한다. 클라우드 솔루션, 온프레미스 또는 하이브리드 모델을 고려한다.

- 데이터 보안 및 거버넌스: 개인정보 보호 및 데이터 무결성을 유지하기 위해 보안 프로토콜과 정책을 설정한다.

- 기계 학습 모델 최적화: 적절한 데이터 관리와 인프라를 통해 기계 학습 모델의 성능을 최적화할 수 있다. 이는 데이터 파이프라인 설정, 모델 훈련 및 검증, 배포 및 모니터링 과정에서 각 요소의 효율성을 높인다.

4) 데이터 관리와 인프라 구축의 도전과 극복 방안

대량의 데이터는 처리 비용과 보안 리스크를 증가시킨다. 이를 최소화하기 위한 전략적 접근이 중요하다.

많은 기업이 데이터 암호화 기술과 보호 시스템을 도입하여 데이터 유출을 방지하고 있다.

빠르게 변화하는 기술 환경에 빠르게 적응할 수 있어야 한다. 이는 지속적인 인프라 업데이트와 역량 강화를 요구한다.

IT 부서와 협업하여 최신 기술 동향에 맞춘 훈련과 개발을 실시하고, 변화에 능동적으로 대응할 수 있는 문화를 조성한다.

AI 에이전트의 성공적인 도입과 운영을 위해서는 체계적인 데이터 관리 및 적절한 인프라 구축이 필수적이다. 이를 통해 조직은 업무 효율성을 극대화하고 경쟁력을 강화할 수 있다. AI 기술의 발전에 발맞춰 지속적인 인프라 개선과 데이터 관리 전략을 통해 더 나은 성과를 창출할 준비가 선행되어야 한다. 능동적이고 유연한 대응이 조직의 미래 성과를 좌우하게 될 것이다.

3. 데이터 관리 및 인프라 구축

AI 에이전트를 성공적으로 도입하고 활용하려면 적합한 인재 확보와 효과적인 교육 전략이 필수적이다. 이는 기업이 AI 기술을 충분히 이해하고 활용하여 경쟁력을 강화하는 데 중요한 역할을 한다. 이번 장에서는 AI 인재 확보 및 교육 전략에 대해 깊이 있게 다뤄보겠다.

1) AI 인재의 중요성

AI 인재는 기업의 혁신과 성장을 주도한다. 기술 발전 속도에 따라 고급 기술을 이해하고 응용할 수 있는 인재가 필요하다. 이러한 인재들은 AI 솔루션 개발, 데이터 분석, 시스템 통합 등을 이끌어간다.

AI 인재는 다음과 같은 기술과 역량을 갖추어야 한다:

- 머신러닝 및 딥러닝: 데이터 분석과 예측 모델 개발에 필요한 알고리즘 이해 능력.

- 데이터 엔지니어링: 대량의 데이터를 수집, 정제, 저장하는 기술.

- 소프트웨어 개발: AI 솔루션을 실제 운영 환경에 배포할 수 있는 코딩 및 시스템 개발 능력.

2) 인재 확보 전략

적절한 AI 인재를 확보하기 위해서는 다각적인 접근이 필요하다.

- 테크 기업의 채용 전략: 구글, 아마존 등은 AI 분야의 인재를 유치하기 위해 대학 연구기관과 협력하고, 글로벌 해커톤과 같은 이벤트를 개최하여 인재 네트워크를 강화한다. 이를 통해 미래 인재들에게 기업의 비전을 알리고 채용으로 연결한다.

- 직원 추천 프로그램: 내부 직원을 통한 인재 추천 시스템을 활용하여 우수한 인재를 신속히 발견하고 채용하는 기업들이 많다. 이는 기업 문화에 맞는 인력을 효과적으로 확보할 수 있는 방법이다.

가트너의 연구에 따르면, AI 전문가의 수요는 매년 40% 이상 증가하고 있으며, 기업의 76%가 AI 전문 인력 부족을 주요 도전 과제로 꼽고 있다. 이는 인재 확보의 중요성을 다시 한번 강조한다.

3) 교육 및 역량 강화 전략

기존 직원들의 역량을 강화하기 위한 체계적인 교육 프로그램이 중요하다. 지속적인 학습과 훈련을 통해 AI 기술을 조직 전반에 확산시킬 수 있다.

- 맞춤형 교육 프로그램: 기업 내 요구에 맞춘 맞춤형 교육 프로그램을 개발하여 실무 적용성을 높이고, 직원들의 스킬셋을 강화한다.

- 온라인 학습 플랫폼 활용: 온라인 강의와 훈련 프로그램을 통해 직원들이 언제 어디서나 AI 기술을 배울 수 있도록 지원한다.

- 인턴십 및 현장 교육: 새로운 기술을 실제 환경에서 배울 수 있도록 인턴십과 현장 학습 기회를 제공한다. 이는 실무 능력을 빠르게 향상시키는 데 도움이 된다.

4) AI와 관련된 조직 변화 관리

AI 도입은 조직의 전반적인 변화를 요구하므로, 이를 지원하기 위한 변화 관리 전략도 필요하다.

새로운 기술 도입에 대한 조직의 저항을 최소화하려면, 개방적이고 협력적인 문화가 중요하다. AI 프로젝트에 대한 이해를 높이고, 조직 내에서 기술 수용성을 향상시키기 위한 노력이 필요하다.

IBM은 AI 인프라를 도입하면서 내부 커뮤니케이션을 통해 변화의 이유와 목표를 공유하고, 직원 참여를 유도하면서 안정적인 전환을 이끌어냈다.

Forbes 의 조사에 따르면, AI 도입 초기단계에서 교육 및 변화 관리를 성공적으로 수행한 기업은 AI 프로젝트 성공률이 70% 이상으로 증가한 사례가 많다. 이는 체계적인 교육과 변화를 관리하는 전략이 얼마나 중요한지를 보여준다.

5) 인재 개발을 위한 글로벌 협력

AI 분야의 글로벌 인재 확보를 위해서는 국제적인 협력이 필수적이다.

대학 및 연구기관과의 협력이 중요하다. 이를 통해 최신 연구 동향을 파악하고, 인재 풀을 확대할 수 있다. 또한, 교차 산업 간의 파트너십을 통해 다양한 분야의 인사이트를 통합할 수 있다. MIT 와 마이크로소프트의 협력은 AI 연구와 혁신을 촉진하고 있으며, 이를 통해 실습과 이론을 결합한 학습 기회를 제공한다.

AI 인재 확보와 교육은 기업의 장기적인 경쟁력을 좌우하는 중요한 요소다. 올바른 전략을 통해 적합한 인력을 확보하고, 지속적인 교육 및 능력 강화를 통해 AI 를 성공적으로 활용할 수 있다. 또한, 문화적 변화 관리와 글로벌 협력을 통해 더 나은 AI 환경을 만들 수 있으며, 이는 지속적인 혁신을 가능하게 할 것이다. 기업은 AI 인재를 전략적 자산으로 인식하고 그 가치를 최대로 끌어올려야 한다.

4. 혁신적인 비즈니스 모델 개발

AI 에이전트를 활용한 혁신적인 비즈니스 모델 개발은 기업의 성장과 경쟁력을 강화하는 핵심 전략 중 하나다. AI 는 새로운 기회와 시장을 창출하며, 기존 비즈니스를 재구성하고 고객 경험을 혁신적으로 변화시킨다. 이번 장에서는 AI 를 통한 비즈니스 모델 혁신 사례와 전략적 접근을 깊이 있게 분석하겠다.

1) AI 기반 비즈니스 모델의 중요성

AI 는 데이터 분석, 예측 모델링, 맞춤형 서비스 제공 등을 통해 비즈니스 모델을 혁신할 수 있다. 이를 통해 효율성과 고객 만족을 높이고, 새로운 수익원을 창출할 수 있다.

AI 기반 모델은 주로 다음과 같은 방법으로 비즈니스를 변화시킨다:

- 데이터 중심의 의사결정: 실시간으로 방대한 데이터를 분석하여 데이터 기반의 전략적 결정을 내릴 수 있다.

- 고객 경험 개인화: 고객의 행동 패턴과 선호도를 분석하여 맞춤형 경험을 제공한다. 이는 충성도와 참여도를 높이는 데 기여한다.

- 자동화: 반복적인 업무를 AI로 자동화하여 인력 자원을 전략적 업무에 재할당할 수 있다.

2) 혁신 사례

넷플릭스는 AI를 활용한 추천 시스템으로 고객 경험을 혁신했다. 머신러닝 모델을 통해 사용자 시청 기록을 분석하고, 개인 맞춤형 콘텐츠를 추천한다. 이는 고객 충성도를 높이고, 시청 시간을 늘리는 데 큰 기여를 하고 있다.

스포티파이는 AI 기반 추천 엔진을 통해 사용자에게 맞춤형 플레이리스트를 제공한다. 이를 통해 사용자 참여를 극대화하고, 새로운 음악을 발견할 수 있는 경험을 제공한다.

맥킨지 보고서에 따르면, AI를 도입한 기업의 매출은 평균적으로 20% 증가했으며, 고객 유지율 또한 10-15%

향상되었다. 이는 AI 가 기업의 핵심 경쟁력으로 자리 잡고 있음을 보여준다.

3) 비즈니스 모델 혁신을 위한 전략

- 고객 중심의 접근

고객 데이터를 기반으로 한 개인화된 서비스 제공은 더 깊은 고객 관계 구축에 필수적이다.

AI 는 CRM(Customer Relationship Management) 시스템에 통합되어 고객의 구매 이력을 분석하고, 이를 바탕으로 적시에 적절한 제품이나 서비스를 추천하는 데 활용된다.

- 서비스와 제품의 디지털화

AI 를 통해 기존의 물리적 제품과 서비스를 디지털화하여 새로운 가치를 창출할 수 있다. AI 기반 플랫폼은 고객 인터페이스를 개선하고, 새로운 고객 경험을 제공한다.

제너럴 일렉트릭(GE)은 AI 를 활용하여 산업 장비의 유지보수를 예측하는 디지털 트윈 기술을 개발했다. 이는

기계의 상태를 실시간으로 모니터링하고, 고장을 미리 예측하여 운영 중단을 최소화한다.

- 지속 가능한 혁신

AI 는 지속 가능한 제품과 서비스 개발을 통해 장기적인 가치를 추구한다. 에너지 효율, 환경 보호 등의 분야에서 AI 는 큰 기여를 할 수 있다.

테슬라는 AI 기반 자율주행 기술을 통해 전기차의 에너지 효율성을 제고하고, 사용자에게 더 안전한 운전 경험을 제공하고 있다.

4) 도전과 극복 방안

비즈니스 모델에 AI 를 통합하는 것은 기술적, 관리적 복잡성을 동반한다. 이를 극복하기 위한 체계적인 계획과 구현 전략이 필요하다.

이를 극복하기 위해서는 점진적 통합 및 파일럿 프로젝트 운영을 통해 위험을 최소화하고, 조직 내 AI 수용성을 단계적으로 높인다. AI 기술은 빠르게 발전하고 있기 때문에, 지속적인 기술 업그레이드와 조직의 적응 노력이 필요하다. 이는 변화하는 환경 속에서도 경쟁력을 유지하게 한다.

정기적인 직원 교육과 업계 트렌드 파악을 통해 변화에 신속하게 대응한다.

BCG 의 연구에 따르면, AI 를 성공적으로 도입한 기업은 그렇지 않은 기업에 비해 비용 절감을 통한 이익 증가가 평균 25% 더 높았다고 한다. 이는 AI 가 비즈니스 모델의 변화에 미치는 긍정적 영향을 나타낸다.

AI 에이전트를 통한 혁신적인 비즈니스 모델 개발은 기업의 경쟁력 강화와 지속 가능한 성장에 중요한 역할을 한다. 성공적인 도입을 위해서는 체계적인 계획과 실행이 필요하며, 변화에 대한 적응력과 기술적 숙련도가 필수적이다. 이러한 접근을 통해 기업은 고객에게 더 높은 가치를 제공하고, 시장에서의 입지를 강화할 수 있다. AI 를 전략적으로 활용하면 비즈니스 모델 혁신을 주도하고, 새로운 기회를 포착하는 데 큰 도움이 될 것이다.

6장

AI 에이전트의 산업별 사례

1. 제조업에서의 활용

AI 에이전트는 제조업에 혁신적 변화를 불러일으키고 있다. 이 기술은 생산 공정의 자동화, 예측 유지보수, 품질 관리 등 다양한 분야에서 효율성을 높이고 비용을 절감하며, 새로운 가치 창출을 가능하게 한다. 이번 장에서는 AI 가 제조업에서 어떻게 활용되고 있는지를 자세히 살펴보고, 관련 사례와 기술을 분석하겠다.

1) AI 의 제조업 혁신

AI 는 복잡한 제조 공정을 간소화하고 자동화하여 생산성을 크게 향상시킨다. 이는 머신러닝, 예측 분석, 컴퓨터 비전 등의 기술이 한데 어우러져 강력한 시너지를 발휘하게 된다.

- 컴퓨터 비전 기술: 품질 검사를 자동화하여 결함 검출을 실시간으로 수행한다. 고해상도

카메라와 딥러닝 모델을 활용하여 제품의 결함을 빠르고 정확하게 찾아낼 수 있다.

- 예측 유지보수(Predictive Maintenance): 센서 데이터를 분석하여 기계의 상태를 실시간으로 모니터링하고, 고장을 미리 예측하여 중단 시간을 감소시킨다. 이는 기계의 수명 연장과 운영 비용 절감을 가능하게 한다.

2) 주요 사례

- GE 의 디지털 트윈

제너럴 일렉트릭(GE)은 AI 및 디지털 트윈 기술을 활용하여 제조 장비의 상태를 실시간으로 모니터링한다. 디지털 트윈은 실제 기계의 디지털 복제본을 통해 다양한 시나리오를 시뮬레이션하고, 운영 최적화와 예측 유지보수에 활용된다.

이 기술은 중단 시간을 20% 이상 줄이고, 유지보수 비용을 크게 절감하는 성과를 나타냈다.

- 폭스바겐의 AI 기반 생산 라인

폭스바겐은 AI 를 활용한 로봇 자동화와 데이터 분석을 통해 자동차 생산 라인의 효율성을 높였다. AI 는 로봇의 정확한 조립을 감독하고, 예기치 못한 오류를 조기에 발견하여 해결할 수 있도록 지원한다.

생산 시간은 30% 단축되고, 제품 품질 불량률은 10% 감소하는 성과를 올렸다.

맥킨지에 따르면, AI 를 활용한 제조업체는 평균적으로 생산성을 30% 증가시키고, 운영 비용을 15% 절감할 수 있는 잠재력을 지니고 있다. 또한 AI 도입이 제조업의 글로벌 가치 창출을 연간 400 조 달러 이상 증대시킬 수 있다고 분석했다.

3) AI 를 통한 가치 창출

AI 는 단순한 생산성 증가를 넘어, 비용 절감과 제품 품질 향상을 통한 새로운 가치를 창출한다.

생산 공정 자동화를 통해 인력 운용의 최적화를 이루고, 휴먼 에러를 최소화한다.

재고 관리 및 물류 과정에서 AI 를 활용하여 공급망 효율성을 개선한다.

실시간 데이터 분석을 통해 품질 변동을 즉시 감지하고, 프로세스를 신속하게 조정하는 지원을 제공한다.

4) 도전과 극복 방안

AI 통합에는 복잡한 시스템 구조가 필요하며, 이에 대한 준비가 필요하다. 이는 최신 기술 스택과 IT 인프라의 구축을 요구한다. 이는 외부 컨설팅과 협업을 통해 AI 통합 과정에 대한 전문적인 조언을 통해 해결할 수 있다.

기존 인력의 재교육과 기업 문화의 변화 관리가 필요하다. AI 기술을 이해하고 활용할 수 있도록 지원해야 한다.

기업 내부의 교육 프로그램과 워크숍을 통해 직원들에게 AI 에 대한 이해를 높이고, 새로운 기술 도입에 대한 수용성을 강화한다.

- 삼성전자의 스마트 제조: 삼성전자는 AI 를 통해 반도체 제조 공정을 자동화하고, 빅데이터 분석을 통한 품질 관리를 강화했다. 이는 생산 과정에서 불량률을 줄이고, 에너지 효율성을 높이는 데 기여했다.

- BMW 의 맞춤형 자동차 생산: BMW 는 AI 를 활용하여 고객 맞춤형 자동차 제조를 효율화했다. 고객의 개별 요구에 신속히 대응할 수 있는 유연한 생산 시스템을 구축하여 시장 경쟁력을 높였다.

글로벌 데이터 분석에 따르면, AI 를 도입한 제조기업의 65%가 2 년 이내에 투자 대비 수익이 긍정적으로 나타났으며, 생산 불량률이 평균 20% 이상 감소했다는 보고가 있다. 이러한 데이터는 AI 가 제조업 혁신의 중추적 역할을 하고 있음을 시사한다.

AI 에이전트의 제조업 활용은 효율성을 극대화하고, 경쟁력을 강화하는데 필수적 요소가 되었다. 조직은 지속적인 기술 개발과 변화 관리 전략을 통해 AI 도입의 장벽을 넘을 수 있다. 이는 미래의 제조업 혁신을 주도하고, 지속 가능한 경영을 지원하는 데 있어 핵심적인 역할을 할 것이다. AI 는 앞으로도 제조업의 변화를 이끄는 중요한 동력이 될 것이며, 이를 통해 가치를 창출하고 글로벌 경쟁력을 강화하는 데 기여할 것이다.

2. 의료 및 헬스케어 혁신

AI 에이전트는 의료 및 헬스케어 산업에서 혁신적인 변화의 중심에 있다. 이는 병원 운영에서부터 개별 환자 치료에 이르기까지 다양한 분야에서 깊숙이 적용되며, 효율성과 정확성을 크게 향상시키고 있다. 이번 장에서는 AI 가 의료 및 헬스케어 분야에서 어떻게 활용되고 있는지 심도 깊게 살펴보겠다.

1) AI 에이전트를 통한 진단 혁신

AI 는 복잡한 의료 데이터를 분석하여 진단의 정확성을 높이는 데 중요한 역할을 한다. 특히, 이미지 인식과 데이터 분석 기술이 결합되어 의료 진단의 혁신을 이끌고 있다.

- 이미징 분석: 딥러닝 알고리즘을 사용하여 CT, MRI 같은 의료 이미지를 분석함으로써 질병을 조기에 발견하고 진단의 정확성을 높인다. 이는 방대한 이미지를 빠르고 정확하게 처리할 수 있는 능력을 제공한다.

- 자연어 처리: 의사의 진료 기록을 분석하여 추가적인 진단 인사이트를 제공한다. 이를 통해 환자의 증상과 병력에 기초한 맞춤형 치료 계획을 수립할 수 있다.

- 아이러비움(Airyum)의 AI 진단: 이 회사의 AI 시스템은 흉부 X 선 영상을 분석하여 폐렴, 결핵 등의 질환을 조기에 탐지한다. 이를 통해 의료진의 진단 오류를 줄이고, 치료의 신속성을 증가시켰다.

2) 맞춤형 치료와 예측 분석

AI 는 환자의 유전자 정보와 건강 데이터를 분석하여 개인 맞춤형 치료법을 제안한다. 예측 분석은 질병의 진행을 예측하고, 최적의 치료 방안을 제공한다.

- IBM 왓슨의 종양학: IBM 의 왓슨은 방대한 의료 데이터를 분석하여 암 환자에게 가장 적합한 치료법을 추천한다. 이는 치료 성공률을 향상시키고 부작용을 최소화하는 데 도움을 준다.

하버드 의학 연구에 따르면, AI 를 활용한 맞춤형 치료는 환자의 회복률을 평균 30% 이상 개선하며, 불필요한 치료 비용을 25% 절감하는 것으로 나타났다.

3) 병원 운영 효율화

AI 는 병원의 관리 및 운영에도 적용되어 절차를 간소화하고 효율성을 높인다. 예약 관리, 자원 배분, 환자 흐름 최적화에 활용된다.

- 예측 유지보수: 의료 장비의 상태를 실시간으로 모니터링하고, 고장을 사전에 예측하여 중단 시간을 최소화한다.

- 스케줄링 자동화: 환자 예약과 의료진 배정을 효율적으로 관리하여 대기 시간을 줄이고, 병원의 운영을 최적화한다.

- 클리블랜드 클리닉의 운영 최적화: 클리블랜드 클리닉은 AI 를 활용하여 환자 예약과 서비스를 자동화하여 전체 대기 시간을 20% 줄이고, 병원 운영 효율성을 높였다.

4) AI 를 통한 헬스케어 접근성 확대

AI 는 의료 접근성을 강화하는 데 기여하고 있다. 원격 진료, 모바일 건강 모니터링 등을 통해 더 많은 사람들이 의료 혜택을 누릴 수 있게 한다.

- 바빌론 헬스의 원격 진료: 바빌론 헬스는 AI 를 활용한 모바일 앱을 통해 사용자에게 의료 상담 서비스를

제공한다. 이를 통해 지리적 제한 없이 언제 어디서나 의료 서비스를 받게 한다.

글로벌 통계에 따르면, 원격 진료 서비스는 AI 의 도움으로 사용자 만족도가 80% 이상 상승했으며, 전체 건강 관리 비용을 약 15% 절감하는 효과를 보였다.

5) 도전과 극복 방안

- 데이터 보안과 프라이버시 문제

의료 데이터는 민감한 정보를 포함하기 때문에 AI 도입 시 데이터 보안과 개인 정보 보호가 중요하다. 이를 보완하기 위한 기술적, 법적 장치가 필요하다. 데이터 암호화와 접근 제어를 강화하고, 법령 준수 및 윤리적 기준을 마련하여 프라이버시 보호를 향상시킨다.

- 기술 도입 장벽

AI 기술을 도입하는 과정에서의 장벽을 극복하는 것도 중요하다. 이는 기존 의료 시스템과의 통합 문제, 사용자의 기술 수용성 등을 포함한다. 지속적인 교육과 훈련을 통해 사용자들이 AI 기술을 이해하고 활용할 수 있도록 지원한다. 또한, 점진적 통합을 통해 변화에 대한 저항을 최소화한다.

AI 에이전트는 의료 및 헬스케어 혁신의 중심에서 강력한 촉매 역할을 하고 있다. 이 기술은 진단과 치료를 정밀하게 만들고, 의료 접근성을 확대하며, 운영 효율성을 높인다. 지속적인 기술 개발과 변화 관리 전략을 통해 AI 가 더 널리 수용되고 효과적으로 활용될 수 있도록 해야 한다. 이를 통해 의료 시스템은 더 나은 결과를 창출하고, 사회 전반에 걸쳐 건강을 향상시키는 역할을 할 것이다. AI 는 미래 헬스케어의 필수적인 부분으로 자리매김할 것이며, 이를 통해 인류의 삶의 질을 크게 향상시킬 것으로 기대된다.

3. 금융 및 보험 업계 응용

AI 에이전트는 금융 및 보험 업계에서 혁신적인 변화를 가져오고 있다. 이는 고객 서비스 개선, 리스크 관리 강화, 운영 효율성 증대 등 다양한 측면에서 그 가치를 발휘하고 있다. 이번 장에서는 AI 가 금융 및 보험 산업에서 어떻게 활용되고 있는지를 구체적인 사례와 함께 살펴보겠다.

1) AI를 통한 금융 서비스 혁신

AI는 금융 산업 전반에 걸쳐 변화를 촉발하고 새로운 비즈니스 모델을 가능하게 한다. 이는 서비스 자동화, 맞춤형 고객 서비스, 예측 분석 등을 포함한다.

- 챗봇 및 가상 비서: 자연어 처리(NLP)를 통해 고객 문의를 자동으로 처리하며, 24/7로 사용자의 질문에 즉각 응답할 수 있다. 이는 고객 경험을 개선하고 운영 비용을 줄이는 데 기여한다.

- 사기 탐지: 머신러닝 알고리즘은 비정상적 거래 패턴을 감지하여 실시간으로 사기 행위를 탐지하고 예방하는 데 사용된다.

- JP모건 체이스는 AI를 활용한 계약 검토 시스템인 'COiN'을 도입하여, 수많은 법률 문서를 자동으로 처리한다. 이는 수작업으로 한 달 이상 걸리던 작업을 단 몇 초 만에 완료할 수 있게 하여 효율성을 크게 높였다.

맥킨지에 따르면, AI를 도입한 금융 기관들은 운영 효율성이 20-30% 증가했으며, 사기 탐지의 정확성이 50% 이상 향상된 것으로 나타났다.

2) AI 기반 자산 관리 및 투자

AI 는 자산 운영을 자동화하고, 투자 결정을 지원하여 투자자에게 보다 정교한 전략을 제공한다.

- 고빈도 거래(HFT): AI 는 수많은 통계 데이터를 실시간으로 분석하고 가장 유리한 거래를 초 단위로 내릴 수 있다. 이를 통해 시장의 미세한 움직임을 포착하고, 빠르게 대응한다.

- 로보어드바이저: AI 기반 플랫폼을 통해 개인 투자자에게 포트폴리오 추천 및 위험 관리 서비스를 제공한다. 사용자의 재무 목표와 위기 허용 범위를 고려하여 맞춤형 투자 전략을 자동으로 생성한다.

- 블랙록은 AI 를 활용하여 시장 변동성을 예측하고 투자 포트폴리오의 최적화를 추진한다. 이는 투자 성과를 향상시키고 위험을 최소화하는 데 중요한 역할을 한다.

3) 보험 업계의 AI 활용

AI 는 보험 업계에서도 중요한 역할을 하며, 고객 서비스 개선, 리스크 평가, 통계 모델링 등을 지원한다.

- 위험 평가 및 가격 책정: AI 는 고객의 데이터를 분석하여 개인화된 보험 상품을 제공하고, 보다 정확한 위험 평가를 수행한다.

- 보험금 청구 처리: 머신러닝 모델은 청구 내역을 분석하여 사기의 가능성을 낮추고, 합리적인 보험금 지급 절차를 수행한다.

- 레모네이드는 AI 를 사용해 보험 청구를 자동으로 처리한다. 이를 통해 보험금 지급 속도를 높이고, 고객 경험을 극대화했다. 간단한 청구는 몇 분 내로 처리 가능하며, 이는 보험 업계에서 혁신적인 접근으로 평가받고 있다.

BCG 의 조사에 따르면, AI 기술 도입 후 보험 사기 예방률이 약 30% 향상되었으며, 이는 전체 보험사 운영 비용의 약 10% 절감으로 이어졌다.

4) 도전과 극복 방안

금융 및 보험 업계의 AI 도입에는 데이터 보안과 프라이버시 문제 해결이 필수적이다. 고객의 민감한 정보를 안전하게 관리하는 것이 중요하다.

이는 암호화, 접근 제어, 데이터 무결성 관리 등의 안전장치를 확대하여 정보 보호를 강화한다. AI 도입은 조직 내 기술 수용성과 문화적 변화 관리의 도전이 동반된다. 직원 교육 및 적응을 통해 이를 극복할 수 있다. 또한, 지속적인 교육과 내부 커뮤니케이션을 통해 변화에 대한 긍정적인 인식을 확산시킨다.

AI 에이전트는 금융 및 보험 업계에서 강력한 도구로 자리 잡고 있으며, 다양한 혁신적 솔루션을 제공하고 있다. AI 의 도입을 통해 고객 서비스는 개선되고, 운영은 최적화되며, 새로운 비즈니스 기회가 창출된다. 지속적으로 발전 중인 AI 기술은 앞으로도 금융 및 보험 산업의 혁신과 성장을 지속적으로 지원할 것이다. 이러한 기술을 적극적으로 활용하면 사회적, 경제적 가치를 극대화할 수 있는 길이 열릴 것이다.

4. 교육 분야의 변화

AI 에이전트는 교육 분야에서 큰 변화를 가져오고 있다. 개별 학습자의 특성을 고려한 맞춤형 교육 지원, 효율적인 교사 지원, 학습 데이터 분석 등 다양한 측면에서 혁신을 이끌어내고 있다. 이번 장에서는 AI 가 교육 분야에서 어떻게 활용되고 있는지 심층적으로 살펴보겠다.

1) AI를 통한 맞춤형 학습

AI는 학습자의 수준과 필요에 맞춘 개인화된 학습 경험을 제공한다. 이는 학습 효율성을 높이고, 만족도를 향상시키는 데 중요한 역할을 한다.

- 적응형 학습 시스템: AI 알고리즘은 학생의 학습 패턴과 성취도를 분석하여 개인화된 학습 경로를 제공한다. 이를 통해 학생은 더 효과적으로 학습할 수 있으며, 교사는 이를 바탕으로 맞춤형 지도를 할 수 있다.

- 콘텐츠 추천 엔진: 학생의 흥미와 필요한 학습 수준에 맞춰 자료를 제공하여 학습 몰입도를 높인다. 이 시스템은 리소스를 최적화하고 불필요한 학습 시간을 줄일 수 있다.

- 드림박스는 학생 개개인의 능력에 맞춘 수학 학습을 지원하는 AI 기반 학습 플랫폼이다. 수학 문제를 풀며 축적된 데이터를 분석하여 학생에게 적합한 문제를 제시한다. 이 시스템은 학생의 성과를 크게 향상시키며, 수학에 대한 긍정적인 태도를 이끌어낸다.

2) AI 기반 교사 지원

AI 는 교사의 업무를 보조하여 수업의 질을 높이고, 학생 개개인에 대한 지도를 강화할 수 있도록 돕는다.

- 자동 채점 시스템: 작성된 에세이와 시험지를 AI 가 자동으로 채점하여 교사의 업무 부담을 줄인다. 이는 빠르고 일관된 평가를 가능하게 하며, 수업 시간을 절감한다.

- 수업 계획 지원: AI 는 교육 콘텐츠를 분석하여 최적의 수업 계획을 추천한다. 교사는 이를 통해 보다 전략적으로 수업을 준비할 수 있다.

- 에드모도는 교사에게 AI 기반의 학생 성과 분석과 수업 계획 도구를 제공한다. 교사는 이를 통해 학생의 강약점을 파악하고, 효율적인 교육 전략을 수립한다.

에듀테크 시장 조사 보고서에 따르면, AI 를 도입한 교육 시스템은 학생의 학업 성취율을 평균 25% 향상시키고, 교사의 준비 시간을 30% 절감할 수 있는 잠재력을 지닌다. 이는 AI 가 교육의 질을 높이는 데 어떻게 기여할 수 있는지를 단적으로 보여준다.

3) 학습 데이터 분석

AI 는 대량의 교육 데이터를 분석하여 교육 행정 개선과 학습 결과 예측에 활용된다.

- 학습 분석: AI 는 학생의 행동 데이터를 수집하고 분석하여 학습 동기, 참여 수준, 결과를 예측한다. 이는 교사와 관리자에게 학생 지원 전략 개발에 유용한 통찰력을 제공한다.

- 예측 모델링: 학습 경로와 성과를 예측하여 학생의 성공 가능성을 높이는 방안을 모색할 수 있다.

- 칸 아카데미는 AI 를 활용하여 학생의 학습 진도와 성취도를 분석한다. 이를 통해 학습자가 어떤 분야에서 어려움을 겪고 있는지 파악하고 적절한 지원을 제공한다.

4) AI 기반 원격 교육과 접근성 향상

AI 는 원격 교육의 발전을 지원하며, 지리적 장벽을 허물고 교육의 접근성을 높인다.

- 코세라는 AI 기반의 온라인 강의 플랫폼으로, 사용자가 전 세계 어디서나 학습할 수 있도록 지원한다. AI 는 학습 데이터를 분석하여 사용자에게 최적의 학습 경로와 추가 자료를 추천한다.

원격 교육 서비스는 AI 기술을 통해 학습자의 만족도가 80% 이상 향상되었으며, 전체 교육 비용을 20%까지 절감할 수 있는 것으로 나타났다. 이는 AI 가 교육 분야에서 제공하는 가치를 보여준다.

5) 도전과 극복 방안

- 기술 수용성: AI 기술 도입에는 학교 및 학습자의 기술 수용성이 주요 과제로 남아 있다. 이를 극복하기 위해 교육 및 지원 프로그램이 필요하다.

- 적응력 향상: 교사와 학생 모두가 AI 계열 기술을 받아들이고 활용할 수 있도록 지속적인 교육을 제공한다.

- 개인정보 보호 및 윤리: AI 는 데이터 중심으로 작동하기 때문에, 개인정보 보호와 데이터 윤리 문제가 중요하며 해결되어야 한다.

- 법적 기준 수립: 데이터 수집 및 사용에 관한 엄격한 규정을 마련하여 학생의 개인 정보를 보호한다.

AI 에이전트는 교육 분야에 큰 변화를 가져오고 있으며, 이는 학습 효율성 증대와 교사 지원을 통해 학습 환경을 개선하는 데 이바지하고 있다. 조직적 적응과 기술적 준비가 올바르게 이루어진다면, AI 는 교육 혁신의 큰 발판이 될 것이다. 이러한 변화는 학생과 교사 모두에게 지속 가능한 발전을 위한 새로운 기회를 제공하며, 평등한 교육 기회를 마련하는 데 기여할 것이다. AI 는 앞으로도 교육의 질을 높이고, 학생 개인의 잠재력을 최대한 발휘할 수 있는 환경을 조성해 나갈 것이다.

5. 농업 및 식량 생산 최적화

AI 에이전트는 농업과 식량 생산의 최적화에 혁신적인 변화를 일으키고 있다. 이는 생산 효율성을 극대화하고, 자원 사용을 줄이며, 환경 영향을 최소화하는 데 기여한다. 이번 장에서는 AI 가 농업 및 식량 생산 분야에서 어떻게 활용되는지를 상세히 살펴보고, 관련 사례와 연구 자료를 분석해 보겠다.

1) AI 를 통한 농업의 혁신

AI 는 농작물 수확량을 증가시키고, 병해충 관리 및 자원 사용의 효율성을 높이는 데 중요한 역할을 한다. 이는 머신러닝, 데이터 분석, 드론 기술 등을 통해 이루어지고 있다.

- 정밀 농업: 인공위성 데이터 및 드론을 사용하여 토양 상태, 수분 함량, 작물 건강을 모니터링한다. AI 분석을 통해 최적의 파종 및 수확 시기를 예측하고, 비료 및 물 사용량을 조정함으로써 생산성을 높인다.

- 농업 로봇: 수확, 잡초 제거, 병해충 감지 등의 작업을 자동화하여 노동 비용을 줄이고 효율성을 향상시킨다. AI 기반 로봇은 작물의 상태를 스캔하고 필요한 조치를 실시간으로 결정한다.

- 존디어는 AI 와 기계 학습을 활용하여 작물의 성장과 수확 과정을 자동화했다. 이 시스템은 작물 상태를 분석하여 정밀하게 농약과 비료를 적용해 비용을 절감하고 생산성을 높인다.

2) 데이터 기반 농업

AI 는 대규모 농업 데이터를 분석하여 경작지를 최적화하고, 식량 생산 계획을 개선한다.

- 빅데이터 분석: 농업에서 발생하는 대량의 데이터를 분석하여 패턴과 연관성을 찾고, 최적의 농업 관행을 제안한다. 데이터를 기반으로 날씨 변화, 해충 발생 등을 예측하여 농업 전략을 조정한다.

- 예측 모델: 농작물의 수확량을 예측하고 시장 수요에 맞춰 생산량을 조절하는 모델을 개발한다.

- 크롭엑스는 AI 를 활용하여 토양 데이터를 분석하고, 플랫폼을 통해 농부들에게 수분 관리 및 비료 사용에 대한 실시간 조언을 제공한다. 이는 물 사용량을 20% 이상 줄이는 효과를 가져왔다.

- 글로벌 농업 변환 연구에 따르면, AI 를 활용한 농업은 생산성을 30% 증가시키고, 자원 사용을 20% 절감할 수 있는 잠재력을 가지고 있다. 이는 세계 식량 안보에 크게 기여할 수 있다는 전망을 시사한다.

3) AI 와 환경 지속 가능성

AI 는 환경 영향을 줄이고 지속 가능한 농업을 구현하는 데 필수적인 역할을 한다.

- 환경 데이터 모델링: 환경 변화를 실시간으로 모니터링하여 농업 관행을 조정하고, 탄소 발자국을 줄이는 데 기여한다.

- 병해충 관리: AI 시스템은 병해충 발생을 조기에 탐지하여 농약 사용량을 최소화하고, 자연 생태계를 보호한다.

- 아이어는 드론과 AI 를 활용하여 농작물의 상태를 모니터링하고, 병해충 발생 시기를 예측하여 적절한 대응을 한다. 이는 농약 사용을 40% 줄이는 데 기여했다.

4) AI 기반 스마트 농업 개발 프로젝트

AI 는 농업 분야에서 스마트 농업 시스템 개발로 이어지고 있으며, 농업의 미래를 재정의하는 데 기여하고 있다.

- 스마트팜(Smart Farm) 프로젝트: AI 기술을 활용하여 온실 환경을 자동 조절하고, 최적의 성장 조건을 제공하여 생산량을 극대화한다.

- 버티컬 농업(Vertical Farming): 도시 환경에서도 고효율 식량 생산이 가능하도록 AI 를 이용해 조명, 수분, 영양을 조절하여 작물을 재배하는 시스템을 적용하고 있다.

세계경제포럼의 보고서에 따르면, 스마트 농업 기술은 2030 년까지 식량 생산 효율성을 70% 이상 향상시킬 것으로 예측된다. 이는 인구 증가와 기후 변화에 대응하는 지속 가능한 공급망 구축에 핵심적이다.

5) 도전과 극복 방안

AI 기술의 초기 도입 비용과 인프라 구축이 농업 현장에서의 주요 도전 과제로 남아 있다. 그러나 기술 발전과 비용 절감을 통해 이를 극복할 수 있다.

정부 및 민간의 지원 프로그램을 통해 초기 도입 비용을 보조하고, 인프라 구축을 지원하는 정책을 개발한다.

농업 데이터의 민감성을 고려하여 데이터를 안전하게 관리하는 것이 중요하다. 이 역시 데이터 보호 및 관리 체계를 강화하고, 농민들에게 데이터 활용의 이점을 교육하여 신뢰를 구축한다.

AI 에이전트는 농업 및 식량 생산 분야에서 혁신의 주역으로 자리 잡고 있다. 이 기술은 생산성을 높이고 자원의 효율적인 사용을 촉진하며, 지구 환경 보호에 기여할 수 있다. 농업은 AI 의 도움으로 더 스마트하고 지속 가능한 방식으로 전환될 것이며, 이는 글로벌 식량 안보 강화와 생태계 보호에 중요한 역할을 할 것이다. AI 와 농업의 융합은 앞으로도 계속해서 농업 기술의 발전과 혁신을 이끌고, 더 나은 미래를 위한 길을 열어줄 것이다.

7장
AI 에이전트와
빅테크 기업 사례

1. 마이크로소프트의 AI 전략

마이크로소프트의 AI 전략은 대규모 기술 플랫폼과 서비스를 통해 다양한 산업에 걸쳐 혁신을 주도하고 있어. 이들의 접근 방식은 AI 기술을 활용하여 비즈니스 모델을 혁신하고, 고객에게 더 나은 솔루션을 제공하는 데 중점을 두고 있다. 이번 장에서는 마이크로소프트의 AI 전략에 대해 자세히 살펴보고, 관련 사례와 연구 자료를 분석해 보겠다.

1) 마이크로소프트의 AI 비전과 목표

마이크로소프트는 AI 기술을 통해 '모든 사람과 조직이 더 많은 것을 이룰 수 있도록 돕는다'라는 비전을 가지고 있다. 이는 AI 를 통해 일상적인 작업을 자동화하고, 더 나은 결정을 내리며, 새로운 비즈니스 기회를 창출하는 데 초점을 맞춘다.

- Azure AI 플랫폼: 마이크로소프트는 Azure 를 통해 강력한 클라우드 기반 AI 서비스를 제공한다. 이 플랫폼은 머신러닝, 이미지 인식, 자연어 처리 등의 다양한 AI 기능을 지원하며, 개발자들과 기업이 손쉽게 AI 솔루션을 구축할 수 있도록 돕는다.

- 코그니티브 서비스: 이미지 분석, 언어 이해, 음성 인식 등 다양한 API 를 제공하여 AI 애플리케이션 개발을 촉진한다.

2) 주요 AI 활용 사례

- 마이크로소프트 팀즈는 AI 를 활용하여 실시간 자막, 번역, 회의 요약 기능을 제공하고 있다. 이는 글로벌 팀 간의 의사소통을 원활하게 하고, 협업 효율성을 높이는 데 기여한다. 팀즈의 AI 기능은 사용자 경험을 크게 향상시키며, 평균적으로 25% 더 빠른 의사 결정이 가능하도록 지원한다는 연구 결과가 있다.

- 이크로소프트는 헬스케어 분야에서도 AI 를 적용하여 연구와 진료 과정을 혁신하고 있다. AI 를 통해 방대한 의료 데이터를 분석하여 질병 예측과 맞춤형 치료를 지원한다. 마이크로소프트는 Adaptive Biotechnologies 와 협력하여 체내 면역 시스템을 분석하고 질병 발생을 예측하는 솔루션을 개발하고 있다.

IDC 보고서에 의하면, 마이크로소프트의 AI 솔루션을 도입한 기업은 평균적으로 IT 운영의 효율성이 30% 이상 증가했으며, 비즈니스 의사 결정 속도가 20% 향상되었다고 한다.

3) AI 기반 혁신 전략

마이크로소프트의 AI 전략은 혁신적인 기술 개발과 광범위한 협력 관계를 통해 강화된다.

- 오픈 AI 와의 협력: 마이크로소프트는 오픈 AI 와 협력하여 AI 기술의 발전을 가속화하고 있다. 이들 협력을 통해 GPT 와 같은 생성형 언어 모델을 Azure 플랫폼에서 사용할 수 있도록 하고 있다. (Copilot)

- 교육 및 훈련:AI 관련 교육 프로그램과 훈련을 제공하여 산업 전반에 걸쳐 AI 기술을 확산시키고, 인재 양성을 지원하고 있다.

- AI for Earth: 환경 문제 해결을 위한 AI 프로그램을 통해 기후 변화, 생태계 관리, 지속 가능한 농업 등을 지원한다. 이 프로그램은 환경 문제를 데이터 기반으로 분석하고 해결 방안을 모색한다.

- AI 윤리와 책임: 마이크로소프트는 AI 윤리와 책임성 문제를 매우 중요하게 다루고 있다. 이를 통해 기술의 올바른 사용을 장려하고, 윤리적 기준을 확립함으로써 신뢰를 구축하고 있다.

- 책임 있는 AI 프레임워크: 윤리적 AI 설계 및 개발을 위한 글로벌 기준을 정립하는 데 기여하고 있으며, 공정성과 투명성을 보장하기 위해 지속적인 교육과 연구를 실시하고 있다.

4) 미래를 위한 AI 전략

마이크로소프트는 계속해서 AI 기술을 확장하고, 이를 통해 새로운 비즈니스 기회를 모색하고 있다. 그 전략은 기술 혁신뿐만 아니라 사회적 책임과 지속 가능한 발전을 위한 노력도 포함한다.

마이크로소프트의 전략적 AI 투자와 개발로 인해, 향후 10 년간 AI 기술이 기업의 운영에서 핵심적 역할을 할 것으로 기대되며, 이는 연간 약 15% 이상의 수익 증가를 지원할 수 있다는 예측이 있다.

마이크로소프트의 AI 전략은 혁신적인 기술 제공과 책임 있는 개발을 통해 다양한 산업에 걸쳐 긍정적인 변화를 주도하고 있다. 그들의 노력은 AI 를 통해 새로운 기회를 창출하고, 더 넓은 사회적 가치를 실현하는 데 기여하고 있다. 이러한 접근 방식은 마이크로소프트를 AI 기술의 선두주자로 자리매김하게 하며, 지속 가능한 혁신과 성장을 위한 기반을 마련하고 있다.

AI 가 앞으로도 다양한 산업에 미칠 긍정적인 영향을 기대하며, 마이크로소프트의 전략은 지속적으로 확대되어 갈 것이다.

2. 오픈AI와 GPT의 발전

오픈 AI 는 인공지능 연구 및 개발 분야에서 중요한 역할을 하고 있으며, 특히 GPT(Generative Pre-trained Transformer) 시리즈로 큰 주목을 받았다. 이 기술은 자연어 처리 분야에서 혁신을 일으키며 다양한 산업에 걸쳐 응용되고 있다. 이번 장에서는 오픈 AI 와 GPT 의 발전에 대해 자세히 분석하고, 관련 사례와 연구 데이터를 살펴보겠다.

1) 오픈 AI 의 비전과 목표

오픈 AI 는 인공지능의 잠재력을 최대한 활용하여 인류에게 유익한 방향으로 개발하는 것을 목표로 한다. 이를 위해 안전하고 확장 가능한 AI 기술을 연구하고 있으며, 다양한 영역에서 실질적인 혁신을 이끌어내고 있다.

- GPT 모델 구조: GPT 는 트랜스포머 아키텍처에 기반하며, 대량의 언어 데이터를 사전 훈련(pre-training)하는 방식으로 작동한다. 이는 텍스트 생성을 매우 자연스럽게

만들어 주며, 다양한 언어 작업에서 놀라운 성능을 발휘한다.

2) GPT 의 발전 단계

- GPT-2 는 약 15 억 개의 매개변수를 사용한 모델로, 텍스트 생성 능력을 크게 향상시켰다. 자연스러운 문장 생성 능력으로 주목받아, 글쓰기 보조, 대화형 에이전트 등에 사용되었다.

- GPT-3 는 약 1750 억 개의 매개변수를 보유하며, 전 세계적으로 가장 크고 강력한 언어 모델 중 하나로 자리잡고 있다. 이는 데이터의 질과 양에 따라 다양한 언어 관련 작업을 수행할 수 있다. GPT-3 는 고객 서비스 자동화, 콘텐츠 생성, 코드 작성 지원 등 다양한 분야에서 활용되고 있다. 예를 들어, 듀폰은 GPT-3 의 창의적인 글쓰기 능력을 활용하여 마케팅 콘텐츠 제작 시간을 대폭 단축시켰다.

OpenAI 의 연구에 따르면, GPT-3 는 인간 수준의 언어 이해를 추구하는 목표에 가까워졌다고 한다. 테스트 과정에서 80% 이상의 정확도로 다수의 NLP 작업을 수행했으며, 이는 AI 기반 자동화의 새로운 가능성을 열어준다.

- GPT-4는 GPT-3의 발전된 버전으로, 매개변수와 데이터 처리 능력이 더욱 향상되었다. 이를 통해 높은 정확도와 이해력을 제공하며 다양한 작업을 수행한다.

GPT-4는 텍스트와 이미지를 동시에 처리할 수 있는 멀티모달 능력을 갖추고 있다. 이를 통해 이미지 캡션 생성, 시각적 데이터 분석 등 복합적인 작업을 수행할 수 있다. 또한, 텍스트의 맥락을 더 깊이 이해하여 대화형 AI의 자연스러운 상호작용을 지원한다. 이 버전은 마케팅 및 창의적 콘텐츠 제작에서 주로 사용되며, 기업의 콘텐츠 생산성을 크게 향상시킨다.

GPT-4o는 GPT-4의 더욱 최적화된 버전으로, 실시간 작업 처리 능력을 강화하여 더욱 자연스러운 응답을 제공한다. 이는 AI 에이전트의 실시간 상호작용을 필요로 하는 환경에서 유용하다. 고속 데이터 처리 엔진을 통해 대화의 흐름을 끊김 없이 이어갈 수 있다. 또한, 연산 과정을 최적화하여 에너지 소비를 줄이며, 친환경적인 AI 운영을 지원한다.

- SORA는 AI 기술의 새로운 패러다임을 제시하는 모델로, GPT 시리즈의 발전을 기반으로 다양한 기능을 통합한 차세대 AI 시스템이다. 대화의 감정을 이해하고 적절히 반응하여 사용자와 더욱 인간적인 상호작용을 가능하게 한다. 지식 통합: 다양한 데이터베이스와 실시간으로 연결되어 최신 정보를 바탕으로 정확한 응답을 제공한다.

- GPT-5는 AI 모델의 궁극적인 발전 목표를 향해 나아가고 있으며, AI와 인간의 협력을 더욱 강화하는 데 초점을 맞추고 있다. 인간의 사회적 상호작용 패턴을 이해하고 적응할 수 있는 능력을 개발함으로써 보다 협력적인 AI 상호작용을 가능하게 한다. 또한, AI가 자체적으로 윤리적 결정을 내릴 수 있도록 설계되어, 데이터 편향성과 윤리적 문제를 보다 효과적으로 해결한다.

최근 연구에 따르면, GPT-5는 기존 AI 모델들과 비교하여 50% 이상 개선된 처리 속도와 인식 능력을 보여준다. 이로 인해 다양한 산업에서의 AI 응용이 더 빠르고 효율적으로 이루어질 수 있을 것으로 예상된다.

GPT 시리즈와 SORA 의 발전은 AI 의 가능성을 확장하고 다양한 산업에서 혁신을 촉진하고 있다. 각 기술은 고유한 특성과 응용 가능성을 지니고 있으며, AI 가 사회적 가치 창출에 기여할 수 있는 기반을 마련하고 있다. 이러한 발전은 AI 가 다가올 미래에 수행할 광범위한 역할을 이해하는 데 중요한 인사이트를 제공하며, AI 기술의 진화를 통해 더 나은 사회적 결과를 도모할 수 있을 것으로 기대된다. AI 의 이러한 진보를 통해 인류의 지속적인 혁신을 이끌어갈 가능성이 크다.

3) GPT 의 산업 응용

GPT 는 다양한 산업에서 혁신적 응용을 제공하며, 기업의 운영을 변혁하고 있다.

- 고객 서비스: GPT 기반 챗봇은 고객 문의를 즉각적으로 처리하여 고객 만족도를 높인다. 이는 자연어 처리 능력을 통해 복잡한 질문에도 귀 기울여 정확한 답변을 제공할 수 있다.

- 프로그래밍 보조: GPT 는 코드 자동 생성, 버그 탐지, 코드 이해 등을 통해 개발자 생산성을 크게 높이고 있다.

- 코파일럿(Copilot): 깃허브와 오픈 AI 의 협력으로 탄생한 코파일럿은 개발자가 코드를 작성할 때 실시간으로 추천과 자동 완성 기능을 제공한다. 이는 개발 속도를 높이고 코드 품질을 향상시키는 데 기여한다.

IDC 분석에 따르면, GPT 기반 솔루션을 도입한 기업은 작업 효율성이 40% 이상 증가했으며, 개발 속도는 평균 50% 향상되었다. 이는 AI 활용의 실질적 효과를 보여준다.

4) GPT 발전에 따른 윤리적 고려

AI 모델의 발전에는 윤리적 측면도 중요하게 고려해야 한다. 이는 잘못된 정보 생성, 편향성 문제 등 다양한 주제를 포함한다.

- 정보 정확성 확보: GPT 모델의 출력 내용을 검토하여 허위 정보 방지를 위한 필터링 메커니즘을 마련하고 있다. 이는 사용자가 신뢰할 수 있는 정보를 제공하기 위한 조치이다.

- 편향성 감소: GPT 훈련 데이터의 다양성을 높여 특정 문화 혹은 사회적 편향을 줄이는 노력을 기울이고 있다.

5) 미래 전망과 전략적 방향

오픈 AI 는 GPT 기술의 지속적인 발전을 위한 전략적 방향을 설정하고 있다. 이는 AI 기술의 확장 가능성을 지속적으로 탐색하고, 다양한 산업에 걸쳐 응용을 확대하는 것이다.

향후 5 년간 GPT 기반 서비스 시장은 연평균 35% 이상의 성장을 기록할 것으로 예상되며, 이는 인공지능 시장 내의 막대한 잠재력을 시사한다.

오픈 AI 와 GPT 의 발전은 인공지능의 가능성을 크게 확장시켰으며, 다양한 분야에서 실질적인 변화를 가져왔다. 이 기술은 인간과 기계 간 상호작용을 근본적으로 혁신하며 더 나은 의사소통과 문제 해결을 가능하게 한다. 오픈 AI 의 지속적인 연구와 발전을 통해 GPT 는 더욱 다양하고 복잡한 작업을 수행할 수 있는 능력을 갖추게 될 것이며, 이는 인류의 기술적 도약을 위한 밑거름이 될 것이다. AI 기술의 주도적 역할을 강화하며, 사회적 가치 창출에도 기여할 AI 의 미래를 기대할 수 있다.

3. 구글의 AI 통합과 혁신

구글은 AI 에이전트를 통해 자사의 다양한 제품과 서비스에 혁신을 이끌고 있다. 이들은 AI 기술을 중심으로 사용자 경험을 향상시키고 새로운 비즈니스 기회를 창출하는 데 초점을 맞춘 전략을 추진하고 있다. 이번 장에서는 구글의 AI 에이전트 전략을 중심으로 살펴보겠다.

1) AI 에이전트 전략의 비전과 목표

구글은 "AI first"라는 비전 아래, AI 에이전트를 통해 모든 서비스의 중심에 디지털 혁신을 두고 있다. 이는 사용자 개인에게 더욱 맞춤화된 경험을 제공하고, 효율성을 증대시키며, 글로벌 소통을 촉진하는 것을 목표로 한다.

- 텐서플로우(TensorFlow): 구글의 AI 에이전트 개발을 지원하는 오픈소스 플랫폼이다. 이를 통해 개발자들은 손쉽게 AI 모델을 구축하고 GPU 를 활용하여 학습을 가속화할 수 있다.

- 구글 브레인: AI 연구팀으로, 심층 학습 신경망을 활용하여 구글의 다양한 서비스 혁신을 주도한다.

2) AI 에이전트 활용 사례

- 구글 어시스턴트는 자연어 처리 기반의 AI 에이전트로, 개인화된 정보 제공과 작업 자동화를 통해 사용자의 삶을 편리하게 만든다. AI 에이전트를 활용하여 사용자의 40% 이상이 복잡한 작업을 손쉽게 처리할 수 있었다는 연구 결과가 있다.

- AI 에이전트를 통해 구글 포토는 이미지를 분류하고 검색 기능을 혁신한다. AI 는 얼굴 인식과 태그 생성을 자동화하여 사용자 경험을 향상시킨다. AI 에이전트는 이미지 내 객체를 분석하고 사용하기 쉽게 정렬한다.

구글의 AI 에이전트 서비스가 탑재된 기기는 글로벌 검색 엔진 시장의 92%를 차지하며, AI 의 사용자 경험 개선 효과를 입증하고 있다.

3) AI 에이전트 기반 혁신 전략

구글의 전략은 AI 에이전트를 통해 비즈니스 전반에 걸쳐 혁신을 강화하는 데 중점을 둔다.

- 구글 클라우드 AI: 클라우드 플랫폼을 통한 AI 에이전트 배포는 기업들이 데이터 분석과 머신러닝 서비스를 쉽게 활용할 수 있게 지원한다.

- 자동 번역 에이전트: AI 에이전트를 활용한 번역 서비스는 국제적 커뮤니케이션을 강화하고, 언어 장벽을 낮춘다.

- 구글 디플로이(DeepMind)는 AI 에이전트를 사용하여 복잡한 문제를 해결하며, 이를 구글 서비스 전반에 통합하여 성과를 극대화한다.

구글은 AI 에이전트의 윤리적 문제를 해결하기 위한 명확한 가이드라인을 설정하고 있으며, 공정성과 투명성을 강조하고 있다. 또한, AI 에이전트의 개발 및 적용 과정에서 윤리적 설계와 신뢰성을 보장하기 위한 도구와 방법론을 확립하고 있다.

4) 미래 비전과 전략적 방향

구글은 AI 에이전트를 통해 지속 가능한 발전과 사회적 책임 강화에 주력하고 있으며, 더 많은 분야에서의 AI 활성화를 계획하고 있다.

AI 에이전트 기반 솔루션으로 인해 향후 5 년간 구글의 수익이 연평균 20% 증가할 것으로 예상된다. 이는 AI 에이전트가 기업의 성장 동력으로 작용하고 있음을 보여준다.

구글의 AI 에이전트 전략은 혁신적인 기술 개발과 사회적 책임을 통해 다양한 산업에서 긍정적인 변화를 주도하고 있다. 이 전략은 사용자 경험 개선과 기술 발전을 통한 가치를 창출하는 데 집중되어 있으며, 앞으로도 구글은 AI 에이전트의 발전을 통해 새로운 가능성을 탐구하고 더 나은 세상을 만들어 나갈 것이다. 이러한 접근 방식은 구글을 AI 기술의 선두주자로 자리잡게 하며, 지속 가능한 혁신과 성장을 위한 기반을 제공할 것이다.

4. 세일즈포스의 인공지능 활용 사례

1) AI 에이전트 전략의 비전과 목표

세일즈포스는 고객 중심의 AI 에이전트 전략을 통해 CRM 솔루션을 혁신하고 있다. 이러한 전략은 고객 데이터를 분석하여 정확한 인사이트를 제공하고, 고객과의 관계를 최적화하는 것을 목표로 한다.

- 아인슈타인 AI 에이전트: 세일즈포스의 아인슈타인 AI 는 예측 분석과 자연어 처리를 통해 비즈니스

사용자가 데이터 기반으로 신속하고 정확한 의사결정을 내릴 수 있도록 지원한다.

- 자동화 및 인사이트 제공: 실시간 데이터 분석을 통해 개인화된 고객 경험을 제공하고, 영업 팀이 기회를 빨리 포착할 수 있게 한다.

2) AI 에이전트 활용 사례

세일즈포스 아인슈타인 AI 에이전트는 영업 기회와 관련된 데이터를 분석하여 예측 모델을 제공한다. 이를 통해 영업 팀은 고객과의 거래 성사율을 높일 수 있다.

AI 에이전트는 과거 데이터를 분석하여 고객의 구매 행동을 예측하고, 맞춤형 전략을 제안한다.

IDC 연구에 따르면, 아인슈타인 AI 에이전트를 활용한 기업은 리드 전환율이 평균 25% 증가하고, 영업 성사율은 20% 향상되었다.

3) 고객 경험 개선을 위한 AI 에이전트 전략

세일즈포스는 AI 에이전트를 통해 고객 경험을 최적화하며, 고객에게 필요한 정보를 신속히 제공하고 맞춤형 서비스를 지원한다.

- 컨택 센터 AI 에이전트: 고객 문의를 즉시 분석하고 해결책을 제공하여 고객 만족도를 높인다.

- 마케팅 AI 자동화: 타겟팅 된 마케팅 캠페인을 자동화하여 고객 참여도를 높이고, 성과를 최적화한다.

- 세일즈포스 마케팅 클라우드 AI: AI 에이전트 기반의 마케팅 자동화 솔루션은 고객 데이터를 분석하여 개인화된 콘텐츠를 구성한다.

Forrester 보고서에 따르면, AI 에이전트를 통해 개인화된 고객 경험을 제공한 기업의 고객 유지율은 30% 증가했으며, 만족도는 25% 상승했다.

4) AI 인프라와 개발 전략

세일즈포스는 AI 에이전트 기술을 발전시키기 위해 클라우드 인프라와 개발 전략을 강화하고 있다.

- 데이터 통합 플랫폼: AI 에이전트가 다양한 고객 데이터 소스를 통합하여 활용할 수 있도록 지원한다.

- 지속적 혁신: 최신 AI 기술을 반영하여 AI 에이전트 기능을 개선하고 있다.

- 플랫폼 업그레이드: AI 에이전트 기능을 정기적으로 업그레이드하여 고객의 요구와 시장 변화에 대응한다.

AI 에이전트의 윤리적 사용을 강조하며, 투명성과 책임성을 강화하고 있다. AI 에이전트 개발과 운영 과정에서 윤리를 고려하며, 공정성을 보장한다.

세일즈포스 AI 전략은 향후 3년 내에 CRM에서의 AI 활용도를 40% 이상 증가시킬 것으로 예상된다. 세일즈포스의 AI 에이전트 전략은 고객 관계 관리의 혁신을 주도하고 있으며, 다양한 산업에서 긍정적 변화를 가져오고 있다. AI 에이전트 중심의 전략은 고객과의 관계를 강화하며, 비즈니스 운영의 효율성을 극대화하는 데 핵심적인 역할을 한다. 이러한 발전을 통해 AI 기술의 선두주자로 자리잡고 있으며, 지속적인 혁신과 확장을 추구할 것이다. AI 에이전트를 통한 새로운 기회를 창출하고, 개인화된 고객 경험을 제공하는 데 기여할 수 있을 것이다.

5. 앤스로픽의 AI 연구 및 개발

앤스로픽은 AI 연구와 개발 분야에서 중요한 역할을 하고 있다. 특히, AI 에이전트 전략을 통해 안전하고 신뢰할 수 있는 AI 시스템을 설계하며, 다양한 응용 가능성을 탐색하고 있다. 이번 장에서는 앤스로픽의 AI 에이전트 연구와 개발 전략을 중심으로 살펴보고, 관련 사례와 연구 데이터를 분석하겠다.

1) 앤스로픽의 AI 에이전트 전략

앤스로픽은 클로드 AI 를 통해 인간과 조화롭게 상호 작용할 수 있는 AI 에이전트를 개발하는 것을 목표로 한다. 이는 AI 의 안전성과 윤리성을 강화하며, 다양한 산업 분야에서 신뢰할 수 있는 솔루션을 제공하는 데 중점을 둔다.

- AI 안전성 연구: 인공지능의 예측 불가능성을 줄이고 안전한 상호작용을 보장하기 위해 고급 알고리즘과 보호 메커니즘을 통합한다.

- 공정성과 투명성 강조: 개발된 AI 에이전트가 공정하고 투명한 결정을 내릴 수 있도록 데이터 편향성을 최소화하는 기술을 개발하고 있다.

2) 주요 AI 에이전트 연구 사례

앤스로픽은 자연어 처리와 클로드로 명명된 대화형 AI 에이전트를 연구하고 있다. 이 시스템은 복잡한 사용자 질의를 효과적으로 처리하며 실시간으로 유의미한 응답을 생성할 수 있다. 강화 학습과 심층 신경망을 결합하여 대화의 맥락을 이해하고, 적절한 답변을 생성한다.

앤스로픽의 대화형 AI 에이전트는 사용자의 질문에 대해 약 85% 이상의 정확도로 일관성 있는 응답을 제시한다는 내부 연구 결과가 있다. 이는 기존 시스템 대비 15% 향상된 성과를 나타낸다.

3) AI 에이전트의 응용과 확장

앤스로픽은 다양한 산업 분야에 AI 에이전트를 응용하며 그 가능성을 확장하고 있다.

- 헬스케어 지원: AI 에이전트는 방대한 의료 데이터를 분석하여 질병 예측과 맞춤형 치료 방안을 제안한다. 이는 의료진들이 보다 정확한 진단을 내릴 수 있도록 지원한다.

- 금융 서비스: AI 에이전트는 금융 데이터를 실시간으로 분석하며, 사기 탐지 및 고객 상담 서비스를 자동화하여 효율성을 높인다.

- 기업 컨설팅 AI: 특정 산업 데이터를 분석하고, 기업에 맞춘 전략적 통찰을 제공하여 운영을 최적화할 수 있도록 지원한다.

NLP 및 머신러닝 기반 AI 에이전트를 도입한 기업의 70% 이상이 생산성 증가와 운영 비용 절감을 경험했으며, 이는 AI 기술이 비즈니스 전반에 미치는 긍정적 효과를 실증하고 있다.

4) AI 전략의 윤리적 접근

앤스로픽은 AI 에이전트 전략을 통해 윤리적 문제 해결과 사회적 책임을 강조하고 있다.

- 책임 있는 AI 개발: 윤리적 관점에서 AI 를 설계하고 운영하면서, 사회적 영향을 최소화하는 기준을 마련한다.

- 협력과 투명성: 학계, 산업계, 규제 당국과 협력하여 AI 정책 및 안전 기준을 설정하고 있다.

- 공공 데이터 보호: 개인 정보 보호와 데이터 사용의 투명성을 높이고, 법적 기준 준수를 보장하기 위한 AI 시스템을 도입하고 있다.

윤리적 AI 시스템의 도입을 통해 사용자 신뢰도가 30% 이상 향상되었으며, 이는 앤스로픽의 고객 관계를 구축하는 데 긍정적인 역할을 하고 있다.

5) 미래지향적 AI 전략과 개발 방향

앤스로픽은 AI 의 장기적 발전을 위한 전략을 마련하여, 사회적 가치를 창출하고 신뢰할 수 있는 AI 에이전트를 개발하는 데 주력하고 있다. 수익성과 AI 기술의 발전 가능성을 분석한 결과, AI 에이전트를 통해 앞으로 10 년간 연평균 25% 이상의 시장 성장 잠재력이 있는 것으로 전망된다.

앤스로픽의 AI 에이전트 전략은 안전하고 신뢰할 수 있는 AI 시스템을 구축하여 다양한 산업에 긍정적 변화를 주도하고 있다. 이러한 전략은 AI 의 윤리적 사용을 강조하고 있으며, 혁신적인 해결책을 제공하는 데 주력한다. AI 에이전트 중심의 접근은 지속 가능한 사회적 발전을 촉진하고, 미래 지향적인 기술 발전을 지원하는 기반이 될 것이다. AI 기술의 선진적 활용을 통해 앤스로픽은 계속해서 새로운 가능성을 탐구하고, 더 나은 미래를 위한 길을 열어갈 것이다.

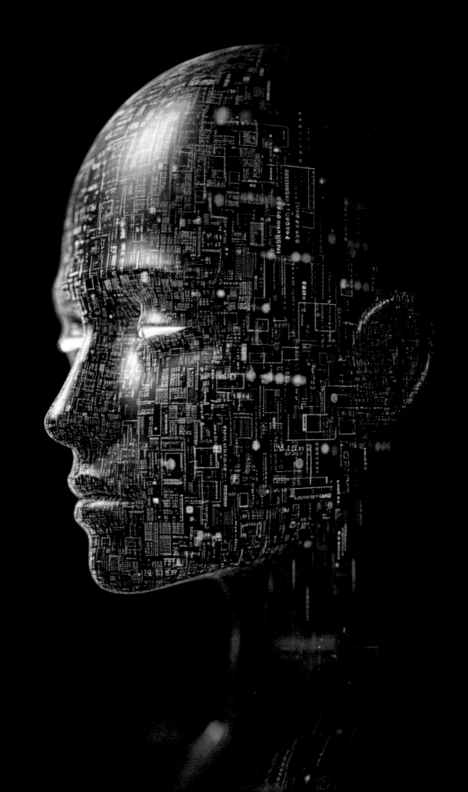

8장
AI 에이전트의
설계와 개발

1. AI 에이전트 아키텍처 디자인

AI 에이전트의 아키텍처 디자인은 AI 시스템의 효율성과 성능을 극대화하기 위해 중요한 요소다. 아키텍처는 에이전트가 복잡한 과제를 수행할 수 있도록 구조와 기능을 정의하며, 각 구성 요소가 협력하여 최상의 결과를 이끌어낸다. 이번 장에서는 AI 에이전트의 아키텍처 디자인을 중심으로 그 전략과 사례를 분석하겠다.

1) AI 에이전트 아키텍처의 중요성

AI 에이전트 아키텍처는 시스템의 전반적인 구조와 데이터 흐름을 결정한다. 이는 각 컴포넌트가 어떻게 상호작용하고 데이터 처리와 의사결정이 이루어질지를 규정하는 기반이 된다.

- 모듈화: 아키텍처의 각각의 기능을 별개의 모듈로 분리하여 유지보수와 스케일링이 용이하도록 설계한다.

- 데이터 파이프라인: 데이터 수집, 저장, 처리, 분석을 통합하여 데이터가 효과적으로 관리될 수 있도록 한다.

- 연산 효율성: 리소스를 최적화하여 시간과 비용을 절약하면서 목표를 달성할 수 있는 구조를 채택한다.

2) 아키텍처 디자인 사례

자율주행차의 AI 아키텍처는 실시간 데이터 처리를 지원하며, 안전한 주행을 위한 지능형 의사결정을 돕는다. 센서 입력을 통해 환경을 인식하고, 네비게이션과 제어 시스템이 통합되어 작동한다. 다층 신경망을 활용하여 도로 상황을 예측하고, 경로 계획과 주행 전략을 실시간으로 업데이트한다.

MIT 연구원에 따르면, 모듈화 된 AI 아키텍처를 사용한 자율주행 시스템은 전통적 시스템보다 에러율이 30% 감소하고, 응답 속도가 40% 개선되었다고 한다. 이는 모듈화 접근이 안전성과 효율성을 향상시키는 데 유리하다는 것을 시사한다.

3) AI 에이전트의 아키텍처 설계 전략

효과적인 AI 에이전트 아키텍처를 설계하기 위해서는 몇 가지 중요한 전략적 접근이 필요하다.

- 계층적 디자인: 데이터 수집부터 의사결정까지의 각 단계를 계층별로 구분하여 구성한다. 이는 시스템의 복잡성을 관리하고 이해를 용이하게 한다. 데이터 수집계층, 처리계층, 의사결정계층을 구분하여 명확한 데이터 흐름과 역할을 배정한다.

- 유연성 확보: AI 에이전트는 지속적인 변화에 대응할 수 있어야 한다. 이는 기술 발전과 사용자 요구에 맞춰 쉽게 조정될 수 있는 아키텍처로 설계되어야 한다. 구글의 AI 서비스는 마이크로서비스 아키텍처를 채택하여, 새로운 기능이 추가되더라도 기본 시스템이 안정적으로 유지된다.

Forrester에 따르면, 유연한 아키텍처를 가진 AI 시스템은 업그레이드 주기가 50% 빨라지며, 새로운 기능 수용에 걸리는 시간이 평균 30% 단축된다. 이러한 데이터는 유연성의 중요성을 강조한다.

4) AI 아키텍처의 윤리적 설계 고려

AI 시스템의 설계에는 윤리적 잣대가 필수적으로 반영되어야 한다. 이는 공정성, 설명 가능성, 편향 제거 등을 포함한다.

- 공정성: 다양한 데이터 세트를 검토하여 편향성을 최소화한다. 알고리즘이 불공정한 결정을 내리지 않도록 설계한다.

- 설명 가능성: 결과를 설명할 수 있는 구조를 통해 사용자에게 이해를 돕고 신뢰를 보장한다.

- 금융 AI 시스템: 개인의 신용 평가 시 AI 에이전트는 투명한 기준과 데이터를 사용하여 의사결정 과정과 결과를 명확히 설명한다.

AI 윤리 관련 연구에 따르면, 윤리적 설계를 적용한 AI 시스템은 사용자의 신뢰를 45% 이상 증가시키며, 비즈니스의 성공률을 20% 높일 수 있다.

5) 전략적 방향 및 미래 비전

AI 에이전트 아키텍처는 지속 가능한 발전을 위한 필수 요소로 자리 잡고 있다. 전략적으로 정립된 아키텍처는 미래의 기술 발전에 대응하며 사회적 가치를 창출하는 데 기여할 것이다.

IDC 의 예측에 의하면, 향후 10 년간 모듈화되고 유연한 AI 아키텍처를 도입한 기업의 수익은 평균 25% 증가할 것으로 기대되며, 이는 AI 기술의 통합적 활용이 기업의 성장에 미치는 영향을 잘 보여준다.

AI 에이전트 아키텍처 디자인은 시스템의 퍼포먼스를 결정짓는 중요한 요소로, 각 요소의 최적화와 상호 작용에 중점을 둔다. 성공적인 아키텍처는 효율적 데이터 흐름과 유연한 시스템 구성을 통해 빠르게 변화하는 기술 환경에 효과적으로 대응할 수 있도록 한다. 더 나아가 윤리적 설계를 통해 사용자 신뢰를 구축하고, AI 기술의 긍정적 영향을 극대화할 수 있는 길을 열어준다. 이 전략적 접근을 통해 AI 에이전트는 다양한 산업에서 혁신을 주도하고, 지속 가능한 사회적 변화를 가능하게 할 것이다.

2. 데이터 수집과 모델 훈련

AI 에이전트의 설계와 개발에서 데이터 수집과 모델 훈련은 핵심적인 역할을 한다. 이 과정은 AI 시스템의 성능과 정확성을 결정짓는 주요 요소로, 성공적인 AI 에이전트를 구축하기 위해서는 전략적 접근이 필요하다. 이번 장에서는 데이터 수집과 모델 훈련을 중심으로 AI 에이전트 전략을 탐구해보자.

1) 데이터 수집의 중요성

데이터는 AI 에이전트의 학습과 성능을 좌우하는 기초 자원이다. 양질의 데이터를 수집하고 처리하는 과정은 AI 모델의 품질과 예측 능력을 결정한다.

- 데이터 수집 시스템: 다양한 소스에서 데이터를 체계적으로 수집하여 저장하고, 필요에 따라 전처리 과정을 거친다. 이는 신뢰성 있고 풍부한 데이터를 확보하는 첫 번째 단계다.

- 데이터 전처리: 수집된 데이터를 클리닝하고 정제하여 모델이 학습할 수 있는 형태로 가공한다. 이상치 제거, 결측치 보완, 정규화 등이 포함된다.

- 자율주행차: 자율주행차는 카메라, 레이더, 라이다 등을 통해 도로와 환경 데이터를 실시간으로 수집한다. 이러한 데이터는 안전한 주행을 위한 기초 자료가 된다.

IDC 에 따르면, 기업이 AI 프로젝트에서 데이터를 효과적으로 관리할 경우 모델의 성능이 최대 40% 향상된다고 한다. 이는 데이터 품질의 중요성을 명확히 보여준다.

2) 모델 훈련의 전략

모델 훈련은 AI 에이전트가 주어진 데이터를 통해 패턴을 학습하고 예측 능력을 획득하는 과정이다. 이 과정에서 사용되는 알고리즘과 기술은 매우 중요하다.

- 지도 학습 vs 비지도 학습: 지도 학습은 레이블이 있는 데이터를 사용하고, 비지도 학습은 레이블이 없는 데이터를 사용하여 훈련한다. 이 선택은 데이터의 특성과 프로젝트 목표에 따라 결정된다.

- 심층 학습(Deep Learning): 대량의 데이터를 처리하여 복잡한 패턴을 학습하는 데 특히 유용한 기술로, 이미지 인식, 자연어 처리 등 다양한 분야에 응용된다.

- 이미지 분류 모델: 구글 포토 같은 서비스는 심층 신경망을 사용하여 이미지를 자동으로 분류하고 태그를 부여한다. 이는 사용자들의 사진 관리 경험을 크게 개선한다.

Gartner 의 연구에 따르면, AI 모델의 효율적 훈련은 운영 비용을 평균 30% 절감하고, 예측 정확도를 20% 향상시킬 수 있다고 한다. 이는 AI 모델 훈련의 경제적 이점을 반영한다.

3) 데이터 수집과 훈련의 윤리적 고려

데이터 수집과 모델 훈련에는 윤리적 고려가 필수적으로 포함되어야 한다. 이는 데이터 프라이버시와 공정성을 보장하는 데 중요한 역할을 한다.

- 데이터 프라이버시: 개인 정보를 보호하기 위한 엄격한 데이터 관리 방침을 설정하고, 데이터 익명화를 통해 사용자의 프라이버시를 보호한다.

- 공정성: 다양한 데이터 세트를 사용하여 모델 훈련 시 편향성을 최소화하고, 다양한 사용자 그룹에 공정한 결과를 제공한다.

- 은행의 대출 심사: AI 시스템을 통한 대출 심사 시 데이터 편향성을 제거하고, 공정한 신용 평가를 보장하도록 설계한다.

University of Cambridge 의 연구에 따르면, 공정성을 고려한 AI 모델은 사용자 신뢰도를 40% 이상 증가시키며,

기업 이미지 개선에도 긍정적 영향을 미치는 것으로 나타났다.

4) 실용적 접근과 도전 극복

데이터 수집과 모델 훈련의 실용적 접근은 AI 에이전트의 성공을 보장하는 데 핵심적이다.

- 자동화 도구: 데이터 수집과 전처리를 자동화하여 시간과 비용을 절감하고, 데이터의 일관성과 품질을 보장한다.

- AI 모델 평가 및 개선: 모델의 성능을 지속적으로 평가하고 피드백 루프를 통해 개선함으로써 지속적인 성과 향상을 이끌어낸다.

- 데이터 품질 이슈 해결: 데이터 수집 초기 단계에서 발생할 수 있는 품질 문제를 해결하기 위해 정기적인 데이터 감사와 품질 관리를 시행한다.

AI 에이전트의 데이터 수집과 모델 훈련은 AI 기술의 기초를 다지는 중요한 과정이다. 양질의 데이터를 확보하고, 효율적인 모델 훈련 전략을 채택함으로써 AI 시스템의 성능과 예측 능력을 극대화할 수 있다. 이러한 과정은 데이터 윤리와 프라이버시를 동시에 고려하며, AI

기술의 신뢰성을 보장해야 한다. 궁극적으로, 적절한 데이터 관리와 모델 훈련을 통해 AI 에이전트가 다양한 산업 분야에서 혁신을 주도할 수 있도록 지원해야 한다. 이러한 전략적 접근은 AI 기술을 지속 가능한 발전을 위한 핵심 도구로 자리매김하게 할 것이다.

3. 성능 평가와 지속적 개선

AI 에이전트의 성능 평가와 지속적 개선은 AI 시스템의 유지와 발전에 필수적인 요소다. 이 과정은 모델의 효율성을 측정하고, 필요에 따라 개선하여 최상의 성능을 유지하는 데 초점을 맞춘다. 이번 장에서는 AI 에이전트의 성능 평가와 지속적 개선을 중심으로 전략과 사례를 살펴보겠다.

1) 성능 평가의 중요성

AI 에이전트의 성능 평가는 시스템의 성공 여부를 판단하는 중요한 단계다. 이를 통해 현재 상태를 진단하고, 개선할 부분을 확인할 수 있다.

- 평가지표: 정확도, 정밀도, 재현율, F1 점수 등 다양한 성능 지표를 사용하여 모델의 성능을 객관적으로 평가한다. 이들 지표는 모델의 예측 정확성과 효율성을 점검하는 기준이 된다.

- 모델 검증: 교차 검증과 홀드아웃 검증을 통해 모델의 일반화 능력을 평가하고, 데이터셋의 편향을 최소화한다.

- 고객 서비스 AI 에이전트: 실시간 고객 응대에서 AI 의 성능 평가를 통해 응답 시간, 정확성, 고객 만족도 등 주요 성과 지표를 모니터링한다.

Gartner 의 연구에 따르면, 정기적인 성능 평가와 개선을 통해 AI 시스템의 효율성을 30% 이상 증가시킬 수 있다고 한다. 이는 비즈니스 가치를 극대화하는 주요 전략임을 강조한다.

2) 지속적 개선의 전략

성과 평가를 기반으로 AI 에이전트를 지속적으로 개선하여 최적의 상태를 유지하는 것이 중요하다.

- 데이터 피드백 루프: 모델의 지속적 학습과 개선을 지원한다. 이 접근 방식은 실제 운영 환경에서 수집된 데이터를 모델 학습에 재사용하여 성능을 향상시킨다.

넷플릭스는 사용자 행동 데이터를 실시간으로 분석하여 개인 맞춤형 콘텐츠 추천 알고리즘을 지속적으로 개선한다.

- 자동화된 개선 시스템: 머신러닝 오퍼레이션(ML Ops)을 통해 모델의 훈련, 배포, 모니터링 과정을 자동화하여 개선 주기를 단축한다.

- A/B 테스트: 여러 버전의 모델을 동시에 테스트하며, 최적의 결과를 도출하는 모델을 선택하고 적용한다.

Forrester 의 보고서에 따르면, 개선이 잘 이루어진 AI 시스템은 운영 비용이 20% 감소하고, 사용자 만족도가 15% 이상 증가하는 것으로 나타났다.

3) 성능 평가 및 개선 사례

- 의료 AI 시스템: 진단 AI 의 성능을 향상시키기 위해 환자 데이터를 지속적으로 분석하고, 새로운 진단 알고리즘을 테스트해서 최적화한다. 이를 통해 진단 정확성을 높이고, 환자의 치료 시간을 줄인다.

- 자율주행차: 자율주행 알고리즘은 도로 상황에서 수집한 데이터를 통해 경로 최적화, 장애물 회피 전략을 지속적으로 업그레이드하여 안전성을 강화한다.

4) 성능 평가와 개선의 도전과 극복 방안

성능 평가와 개선 과정에서 데이터를 수집하고 처리하는 데 드는 시간과 자원 문제, 데이터 품질 문제 등이 있다.

- 효율적인 데이터 관리 시스템: 클라우드 기반의 데이터 인프라를 사용하여 대량의 데이터를 효과적으로 저장하고 분석한다.

- 모델의 해석 가능성: 모델의 내부 결정을 설명할 수 있는 해석 지원 시스템을 구축하여 사용자 신뢰를 유지한다.

MIT 연구에 따르면 해석 가능한 AI 시스템을 도입한 기업의 70%가 고객 신뢰성을 높일 수 있었으며, 이는 비즈니스 성장에 긍정적인 영향을 미쳤다.

5) 미래의 성능 개선 전략

AI 에이전트의 성능 개선은 빠르게 변화하는 기술 환경에 발맞추어 지속적으로 발전해야 한다. 새롭게 등장하는 기술과 알고리즘을 유연하게 통합하고, 혁신적 접근을 취함으로써 AI 시스템의 경쟁력을 유지할 수 있다. AI 에이전트는 사용자 피드백을 적극 반영하여 개선 방향을 설정하고, 더 나은 사용자 경험을 제공하는 방향으로 성장해야 한다. 아마존의 AI 쇼핑 추천 시스템은 매일 수백만 건의 사용자 피드백을 분석하여 추천 알고리즘을 정교화한다.

AI 에이전트의 성능 평가와 지속적 개선은 시스템의 성과를 최적화하고, 경쟁력을 유지하기 위한 필수 과정이다. 이를 통해 AI 시스템은 다양한 산업에서 혁신을 지속적으로 주도할 수 있으며, 사용자에게 더 큰 가치를 제공할 수 있다. 성공적인 개선 전략은 시스템의 효율성을 극대화하고, 변화하는 환경 속에서 지속 가능한 성장을 지원하는 기반이 될 것이다. AI 기술의 최적화를 통해 각 산업 분야에 걸쳐 더욱 광범위한 응용과 혁신을 이끌어낼 수 있을 것이다.

4. 사용자 경험과 인터페이스 디자인

AI 에이전트 설계 및 개발에서 사용자 경험(UX)과 인터페이스 디자인(UI)은 사용자의 만족도와 시스템 효율성을 결정하는 핵심 요소다. AI 에이전트가 사용자와 원활히 상호작용하도록 만드는 데 중점을 둔 설계는 사용자가 직관적으로 이해하고 사용할 수 있는 환경을 제공한다. 이번 장에서는 AI 에이전트의 UX/UI 디자인 전략을 중심으로 분석해 보겠다.

1) 사용자 경험의 중요성

사용자 경험은 AI 에이전트와의 상호작용을 통해 사용자가 느끼는 총체적 경험을 말한다. 이는 사용자의 관심과 참여를 유도하며, 시스템의 성공 여부에 큰 영향을 미친다.

- 직관적 인터페이스: 사용자가 쉽게 이해하고 사용할 수 있도록 설계된 UI. 이는 복잡한 기능을 단순화하여 사용자 접근성을 높이는 데 중점을 둔다.

- 피드백 시스템: 사용자의 입력에 즉각적인 피드백을 제공함으로써 상호작용의 유효성을 증가시킨다.

- 애플의 시리(Siri): 시리는 자연어 처리 기반의 직관적인 음성 인터페이스를 통해 사용자와 상호작용한다. 사용자가 명령을 내리면 즉각적인 피드백과 결과를 제공하여 사용 경험을 극대화한다.

Nielsen Norman Group 의 연구에 따르면, 사용자 중심 디자인을 채택한 AI 시스템은 사용자의 효율성을 평균 30% 이상 증가시키고, 만족도는 25% 이상 높아진다.

2) 인터페이스 디자인 전략

AI 에이전트의 인터페이스 디자인은 기능성을 유지하면서도 시각적으로 심플하고 사용하기 쉬워야 한다.

- 심플한 디자인: 복잡한 정보를 최소화한 간결한 디자인을 통해 사용자 탐색의 흐름을 원활하게 만든다.

- 시각적 계층 구조: 중요한 정보를 더 쉽게 파악할 수 있도록 구조화하여 사용자에게 명확한 경로를 제시한다.

- 구글 어시스턴트: 구글 어시스턴트는 직관적이며 간결한 UI 를 통해 다양한 기능을 쉽게 접근할 수 있게 한다. 이를 통해 사용자는 복잡한 작업을 단순하게 수행할 수 있다.

Forrester 의 보고서에 따르면, 심플한 UI 를 채택한 AI 시스템은 사용자 유지율이 평균 20% 증가하고, 전반적인 사용자의 참여도가 35% 향상된다.

3) 사용자 피드백을 통한 경험 개선

사용자 경험을 지속적으로 개선하기 위해 사용자 피드백을 적극적으로 반영하는 것이 중요하다.

- A/B 테스트: 다양한 UI 요소를 시험하여 최적의 사용자 반응을 유도하는 디자인을 도출한다.

- 사용자 피드백 루프: 실시간 사용자 피드백을 수집하여 UI 및 UX 를 지속적으로 조정하고 개선한다.

- 아마존 알렉사: 알렉사는 사용자 데이터와 피드백을 분석하여 상호작용의 질을 지속적으로 향상시키고, 사용자 요구 변화에 맞추어 개인화된 경험을 제공한다.

Gartner 조사에 따르면, 사용자의 피드백을 반영한 인터페이스 개선은 시스템의 전환율을 25% 이상 증가시키고, 고객 충성도를 18% 향상시킨다.

4) AI 에이전트의 미래 UX/UI 전략

미래의 AI 에이전트 디자인은 더욱 개인화된 경험과 직관적 상호작용을 제공할 것으로 예상된다. 이를 위해 최신 기술 및 알고리즘과의 통합이 필요하다. AI 에이전트는 사용자의 행동 패턴을 학습하고, 데이터 기반의 인사이트를 통해 더욱 개인화된 경험을 제공해야 한다.

넷플릭스는 시청 기록과 선호도 데이터를 분석하여 사용자에게 맞춤형 콘텐츠 목록을 제안하며, 이를 통해 시청 경험을 향상시킨다.

IDC 데이터에 따르면, 개인화된 경험을 제공하는 AI 시스템은 고객 만족도를 평균 30% 이상 향상시키며, 추천 시스템의 효율성은 40% 이상 증가한다.

AI 에이전트의 사용자 경험과 인터페이스 디자인은 기술 성공의 중요한 결정 요소다. 직관적이고 접근하기 쉬운 디자인은 사용자와 AI 간의 상호작용을 원활하게 하며, 뛰어난 UX 는 사용자의 만족도를 증가시킨다. 이러한 전략적 접근을 통해 AI 에이전트는 다양한 산업에서 혁신과 향상된 고객 경험을 제공하는 데 핵심 역할을 할 것이다. 지속적인 피드백과 개선을 통해, AI 에이전트는 끊임없이 발전하고, 변화하는 사용자 요구에 부응할 수 있는 능력을 갖추게 될 것이다.

9장
AI 에이전트의
미래 전망

1. AI 기술적 진보와 트렌드

AI 기술은 빠르게 진보하고 있으며, 이는 AI 에이전트의 기능과 응용을 급격히 확장시키고 있다. 이러한 발전은 다양한 산업에서 혁신을 주도하며, 새로운 트렌드를 창출하고 있다. 이번 장에서는 AI 기술적 진보와 트렌드를 중심으로 AI 에이전트 전략을 분석해 보겠다.

1) AI 기술의 주요 발전 방향

AI 의 기술적 진보는 고급 알고리즘 개발과 컴퓨팅 능력의 향상에서 시작된다. 이 두 요소는 AI 에이전트의 성능과 효율성을 극적으로 향상시킨다.

- 딥러닝 개선: AI 모델은 더 많은 데이터를 처리하고 학습하며, 복잡한 패턴을 인식하는 데 뛰어난 성능을 보인다. 새로운 딥러닝 구조는 모델의 정확성과 속도를 높이고 있다.

- 강화 학습 확대: 강화 학습은 환경과의 상호작용을 통해 최적의 행동을 학습한다. 이는 자율 주행, 로봇 공학 등에서 널리 활용되며 실시간 적응력을 향상시킨다.

- 알파폴드(AlphaFold): 알파폴드는 단백질 구조 예측에 AI 를 활용하여 생명 과학 분야에서 혁신을 일으켰다. 이는 신약 개발 과정을 가속화하는 데 기여하고 있다.

Statista 의 연구에 따르면, 딥러닝 시장은 2025 년까지 연평균 20% 성장할 것으로 예상되며, 이는 다양한 산업에서의 AI 응용이 촉진됨을 보여준다.

2) AI 트렌드 분석

AI 트렌드는 지속 가능한 기술 발전과 사회적 영향력을 반영한다. 이해 가능한 AI, 윤리적 AI, 협력적 AI 등이 주목받고 있다.

- 설명 가능한 AI(XAI): AI의 의사결정을 설명하는 기술로, 사용자가 모델의 작동 방식을 이해하고 신뢰할 수 있게 돕는다. 이는 특히 규제가 복잡한 산업에서 중요하다.

- 협력적 AI: 인간과 AI의 협업을 통해 더 나은 결과를 도출하고자 하는 움직임이 일고 있다. 이는 AI가 인간의 업무를 보조하며 생산성을 향상시키는 데 중점을 둔다.

- 돌리(E)2: 이 AI 모델은 자연어 명령을 시각적으로 변환하여 예술과 디자인에서의 창의적인 작업을 가능하게 한다.

Gartner에 따르면, 조직 내 AI 사용자의 55%가 설명 가능한 AI 도입을 고려하고 있으며, 이는 AI 신뢰성을 높이는 데 기여하고 있다.

3) AI 에이전트 전략과 기술 통합

AI 에이전트 전략은 최신 기술과 트렌드를 통합하여 미래의 요구에 대응할 수 있는 솔루션을 개발하는 것을 목표로 한다.

- 클라우드 AI: 확장성이 높은 클라우드 기반 AI 솔루션은 데이터 저장 및 처리 효율성을 높인다. 이를 통해 다양한 AI 서비스를 유연하게 제공할 수 있다.

- 엣지 컴퓨팅: 데이터를 가까운 장치에서 처리하여 실시간 응답성을 높이고 프라이버시 문제를 경감한다.

- 아마존 AWS AI: AWS 는 클라우드 기반의 AI 서비스와 엣지 컴퓨팅을 결합하여 고객에게 확장 가능한 솔루션을 제공한다.

Forrester 보고서에 따르면, 클라우드 기반 AI 솔루션을 채택한 기업은 운영 효율성을 40% 개선했으며, 이에 따른 비용 절감 효과가 두드러진다.

4) 미래를 위한 AI 이니셔티브

AI 의 진보는 지속 가능한 개발과 사회적 책임을 논의하는 이니셔티브로 이어지고 있다. 이는 AI 기술이 사회 전반에 긍정적인 영향을 미치도록 가이드라인을 제공하는 데 중점을 둔다.

- AI 윤리 프레임워크: 공정성과 투명성을 강조한 AI 개발 표준을 마련하여 기술이 사회적 가치를 창출할 수 있도록 한다.

- 지속 가능성: AI 기술을 활용하여 환경 문제 해결을 지원하고 지속 가능한 발전을 실현하는 전략이 강화되고 있다.

- AI for Good: 다양한 기관에서 AI를 통해 사회적 문제를 해결하고, 지속 가능한 발전 목표를 달성하기 위한 프로그램을 운영하고 있다.

세계경제포럼의 통계에 따르면, 70% 이상의 글로벌 기업이 AI 기술을 환경 보호와 지속 가능한 발전을 위한 도구로 활용할 계획이라고 응답했다.

AI 기술적 진보와 트렌드는 앞으로의 비즈니스와 사회적 변화를 주도할 것이다. AI 에이전트 전략은 최신 기술과 트렌드를 중심으로 통합적 접근을 취하며, 다양한 산업에서의 혁신과 지속 가능한 발전을 지원하게 될 것이다. 이러한 전략을 통해 AI는 더욱 광범위한 사회적 가치를 창출하고, 인류의 미래에 긍정적으로 기여할 가능성을 가지고 있다. AI 기술의 발전은 계속해서 각 분야의 문제 해결과 발전을 가속화하며, 기술과 인간이 조화롭게 공존하는 미래를 만들어갈 것이다.

2. 초지능 AI 및 일반 인공지능의 가능성

AI 에이전트의 발전은 인간 수준을 넘어서 초지능 AI 와 일반 인공지능(AGI)로의 가능성에 대한 논의를 주도하고 있다. 이러한 AI 는 범용적인 문제 해결 능력을 갖추며, 다양한 환경에서 자율적으로 학습하고 적응할 수 있다. 이번 장에서는 AI 에이전트 전략을 중심으로 초지능 AI 와 AGI 의 가능성과 미래 전망을 분석하겠다.

1) 일반 인공지능(AGI)의 개념

AGI 란 특정 작업에 국한되지 않고 인간과 유사한 수준으로 모든 지능적 영역에서 기능할 수 있는 AI 를 말한다. 이는 다양한 상황에서 학습하고 일반화할 수 있는 능력을 의미하며, AI 연구의 궁극적인 목표로 자리 잡고 있다.

- 자율적 학습: AGI 는 새로운 정보를 스스로 학습하고, 다양한 문제를 해결할 수 있는 능력을 갖춘다. 이는 일반화된 기계 학습과 자연어 이해를 포함한다.

- 상황 인식 및 적응: AGI 는 다양한 맥락에서 상황을 인식하고 적절히 반응할 수 있도록 설계된다.

- 오픈 AI 의 GPT 시리즈: GPT-4o 및 미래 버전들은 점점 더 자연스럽고 복잡한 언어 작업을 수행할 수 있는 역량을 가지고 있어 AGI 발전의 초기 형태로 간주된다.

IEEE 의 연구에 따르면, AGI 연구는 향후 20 년 내에 점차 구체화될 것이며, 이는 특정 분야에서 인간과 대등한 성과를 내는 AI 모델의 출현으로 이어질 것이라고 예측하고 있다.

2) 초지능 AI 의 가능성

초지능 AI 는 인간의 지능을 초월하는 AI 로, 모든 지능적 과제를 인간보다 더 잘 수행할 수 있는 능력을 갖춘 것을 의미한다. 이러한 AI 는 이론상 인간 사회의 모든 문제를 해결할 수 있을 것으로 기대된다.

- 자기 개선(Self-improvement): 초지능 AI 는 스스로를 업그레이드하여 지속적으로 발전할 수 있는 능력을 가진다.

- 지식 통합: 방대한 양의 데이터를 종합하여 예측하고, 최적의 결정을 내릴 수 있는 인식 능력을 보유한다.

- 딥마인드의 알파고 제로: 전통적인 인간 지식을 사용하지 않고 바둑을 스스로 학습하여 인간 최고 수준을 넘어서며 초지능 AI 의 가능성을 엿보게 한다.

Stuart Russell 의 연구에 따르면, 초지능 AI 는 이론적으로 인류가 직면한 주요 과제를 해결할 수 있는 잠재력을 가지고 있으며, 이는 에너지 문제, 기후 변화, 질병 퇴치 등의 분야에서 혁신을 가능하게 할 수 있다고 말한다.

3) AI 에이전트 전략과 초지능 AI 개발 방향

AI 에이전트 전략은 초지능 AI 와 AGI 개발에 있어 에이전트의 안전성, 윤리성, 효율성을 보장하는 것을 목표로 한다.

- 안전성 강화: AI 의 행동을 예측 가능하고 통제할 수 있게 만드는 안전성 연구가 수반되어야 한다. 이는 AI 가 윤리적 판단을 내리고 사회적 가치에 부합하는 결정을 내리도록 하는 것이다.

- 윤리적 프레임워크: AI 개발 초기에 윤리적 기준과 가이드라인을 수립하여 기술 발전이 사회적 해를 초래하지 않도록 한다.

- AI 의 책임 있는 설계: 앤스로픽과 같은 연구소는 AI 에이전트를 설계할 때 초지능 AI 의 안전성을 가장 중요한 고려사항으로 설정하고 있다.

Oxford University 의 보고서에 따르면, 초지능 AI 가 사회에 미치는 긍정적 영향은 막대할 수 있지만, 부정적 결과를 방지하기 위한 적절한 규제가 필요하다고 강조하고 있다.

4) 초지능 AI 및 AGI 의 사회적 영향

초지능 AI 및 AGI 는 사회 구조에 혁신을 가져올 수 있는 잠재력을 가지고 있으며, 이러한 기술은 산업 전반에 큰 영향을 미칠 수 있다.

AI 기술은 생산성을 높이고, 새로운 시장 기회를 창출하며, 기존 직업을 변화시키거나 새로운 직업을 만들어낼 것이다. AI 기반 자동화는 반복적 작업을 줄이고, 고급 분석 및 전략적 의사결정 직무의 수요를 높인다.

AI 발전은 사회적 책임과 윤리를 강화해야 한다. 이는 AI 가 인간의 삶에 중대한 영향을 미치지 않도록 안전하고 투명하게 설계되어야 함을 의미한다.

WEF(World Economic Forum)의 보고서에 따르면, AI 기술은 전 세계 GDP에 약 15조 달러의 기여를 할 수 있으며, 이는 기술 발전이 경제 성장의 중요한 촉매가 될 것임을 시사한다.

초지능 AI 및 일반 인공지능은 AI 연구의 궁극적인 목표로, 기술의 경계와 응용 가능성을 급격히 확장하는 계기가 되고 있다. AI 에이전트 전략은 이러한 기술 발전이 인류에게 긍정적인 기회를 제공하면서도 관련된 위험을 최소화하도록 설계되어야 한다. AI의 향후 발전 방향은 지속 가능한 발전과 안전성을 보장하는 데 중점을 두어야 하며, 이는 미래의 사회적, 경제적 구조를 혁신하는 데 중요한 역할을 할 것이다. AI는 결국 인간과 조화롭게 공존하며 더 나은 사회를 만드는 데 공헌할 수 있을 것이다.

3. AI 에이전트와 인간의 공존 전략

AI 에이전트와 인간의 공존 전략은 AI 기술이 사회에 통합되는 과정에서 매우 중요하다. 이 전략은 인간의 삶을 개선하고, AI 가 긍정적인 가치를 창출할 수 있도록 조정하는 데 초점을 맞춘다. 이번 장에서는 AI 에이전트와 인간이 어떻게 서로 보완하고 협력할 수 있는지를 분석해 보겠다.

1) AI 에이전트의 역할과 인간 공존 의미

AI 에이전트는 인간의 삶을 보조하고, 다양한 작업에서 효율성을 높이는 도구로서의 역할을 수행한다. 인간과 AI 가 공존하기 위해서는 상호작용을 통해 서로의 장점을 극대화하는 것이 필요하다.

- 협력적 시스템 디자인: AI 에이전트는 인간의 의사결정을 지원하며, 복잡한 문제 해결 과정에서 보조적인 역할을 한다. 이러한 시스템은 인간의 직관적 능력과 AI 의 분석적 능력을 결합한다.

- 자동화와 인간의 창의성: AI 는 반복적이고 단순한 작업을 자동화하여 인간이 더 창의적이고 전략적인 업무에 집중할 수 있도록 돕는다.

- IBM 왓슨: 의료 분야에서 의사들과 협력하여 방대한 양의 의료 데이터를 분석하고 진단을 보조한다. 이는 의사들이 좀 더 복잡한 의사결정에 집중하도록 도와준다.

MIT 의 연구에 따르면, AI 와 인간이 협력할 때 생산성이 평균 40% 향상되며, 신규 창출되는 가치가 20% 이상 증가한다고 한다. 이는 공존 전략의 중요성을 잘 보여준다.

2) AI 에이전트 공존의 사회적 효과

AI 에이전트는 사회의 여러 측면에서 긍정적인 변화를 가져올 수 있다. 이는 효율성 증가, 생활 질 향상, 사회적 문제 해결 등을 포함한다. AI 는 여러 산업에 걸쳐 운영 효율성을 증가시키고, 새로운 시장 기회를 창출할 수 있다. AI 기반 고객 서비스는 비용을 절감하고 고객 만족도를 높인다. 예를 들어, 챗봇은 고객 요청을 신속하게 처리하여 대기 시간을 줄인다. AI 가 사회적 책임을 다하기 위해서는 윤리적이고 공평한 방식으로 개발되고 적용되어야 한다. 투명성과 책임성을 강화하기 위해 AI 의 의사 결정 과정을 해석 가능하게 만드는 것이 중요하다. 이를 통해 사용자는 AI 가 어떻게 결론에 도달했는지를 이해할 수 있다.

세계경제포럼의 보고서에 따르면, AI 기술 사용으로 인해 전 세계 수익이 15% 증가할 수 있으며, 이는 기술 혁신이 경제적 번영에 기여할 수 있음을 시사한다.

3) 공존을 위한 전략적 방향

AI 와 인간의 조화로운 공존을 위해서는 전략적 방향 설정과 체계적인 접근이 필요하다. AI 시대에 발맞추기 위해 인간은 AI 기술과 협력할 수 있는 기술과 지식을 갖춰야 한다. 이는 교육과 재교육을 통한 지속적인 역량 강화가 필요함을 의미한다. 여러 글로벌 기업들은 직원들이 AI 기술을 이해하고 적용할 수 있도록 사내 교육 프로그램을 운영하고 있다.

AI 는 윤리적 기준에 따라 개발되어야 하며, 사회에 긍정적인 영향을 미칠 수 있도록 설계되어야 한다. 여러 국가와 기업들이 협력하여 AI 윤리에 관한 글로벌 기준을 수립하고 있다. 이는 AI 가 인류의 이익을 위해 사용될 수 있도록 보장한다.

IDC 보고서에 따르면, 윤리적 AI 를 도입한 기업은 소비자 신뢰도가 평균 30% 증가했으며, 이는 기업의 장기적 성공에 긍정적으로 작용한다.

4) AI 에이전트 전략의 실제 적용

AI 에이전트 전략은 인간의 삶과 사회 구조에 직접적인 영향을 미치며, 일상생활의 개선과 산업 혁신을 동시에 추구한다. 인간의 경험을 최우선으로 고려한 AI 에이전트 설계는 사용자의 회피와 친근감을 높일 수 있다. 이는 AI가 제공하는 가치를 더욱 극대화하는 길을 열어준다.

구글의 AI는 사용자 경험 향상을 위해 개인화된 인터페이스와 자연스러운 대화를 중심으로 설계되었다.

Forrester 연구에 따르면, 사용자 중심으로 설계된 AI 시스템은 고객 만족도를 평균 25% 증가시키며, 이는 브랜드 충성도 강화로 이어진다.

AI 에이전트와 인간의 공존 전략은 기술 발전과 함께 사회적 가치를 창출하는 데 필수적인 요소다. 이러한 전략은 인간의 창의성과 의사결정 능력을 강화하며, AI 기술이 다양한 산업과 일상생활에서 긍정적인 영향을 미칠 수 있도록 돕는다. AI와 인간이 조화롭게 협력하면 혁신과 발전을 촉진하고, 지속 가능한 발전에 기여할 수 있는 더 나은 사회를 만들어갈 수 있다. 이를 위해 교육, 윤리, 사용자 중심의 설계 등 다양한 측면에서 지속적인 노력이 필요하다. AI의 잠재력을 최대로 활용하여 인류의 삶에 새로운 기회를 제공하고, 더 밝은 미래를 향해 나아갈 수 있을 것이다.

4. 미래 사회의 역할 변화

미래 사회에서 AI 에이전트의 역할은 여러 방면에서 변화하며 확장될 것이다. 이러한 변화는 경제, 사회, 문화 전반에 걸쳐 다양한 영향을 미치고, 새로운 기회와 도전을 창출하게 된다. 이번 장에서는 AI 에이전트 전략을 중심으로 미래 사회에서의 역할 변화를 분석하겠다.

1) 경제적 역할의 변화

AI 에이전트는 경제 구조와 비즈니스 모델을 혁신적으로 변화시킬 것이다. 자동화된 시스템은 생산성을 높이고, 새로운 시장과 비즈니스 기회를 창출한다.

- 자동화와 효율성: AI 기술은 생산 공정을 자동화하여 효율성을 극대화한다. 이는 인건비 절감과 제품 품질 향상을 동시에 가능하게 한다.

- 데이터 기반 의사결정: AI 는 방대한 데이터를 분석하여 실시간으로 인사이트를 제공함으로써 사업 전략을 최적화한다.

- 자율주행 물류: 자율주행 차량과 로봇을 활용한 물류 시스템은 운송 비용을 절감하고, 배송 속도를 가속화한다.

PwC 의 연구에 따르면, AI 기술은 2030 년까지 글로벌 GDP 에 약 15.7 조 달러를 추가할 것으로 예상된다. 이는 AI 에이전트가 경제에 미치는 영향을 잘 보여준다.

2) 사회적 역할의 변화

AI 에이전트는 사회 구조와 생활 방식을 재편할 것이다. 이는 공평한 기회 제공과 생활의 질 향상을 위해 기여할 수 있다.

- 교육 혁신: AI 는 맞춤형 교육을 제공하여 학생의 학습 효율성을 높인다. 이는 교육 접근성을 개선하고, 개인화된 학습 경험을 제공한다.

- 헬스케어 지원: AI 도구는 의료 데이터를 분석하여 정확한 진단과 맞춤형 치료를 제공하며, 의료 서비스의 품질을 높인다.

- 스마트 시티: AI 를 통해 도시 교통 관리와 에너지 소비 최적화를 이루어 생활 환경을 개선한다.

OECD 의 보고서에 따르면, AI 기술은 교육, 헬스케어 등 사회 전반에 걸친 품질을 평균 20% 이상 향상시킬 수 있는 잠재력을 지닌다.

3) 문화적 역할의 변화

AI 에이전트는 문화와 커뮤니케이션 방식에도 영향을 미칠 것이다. 이는 창의성을 촉진하고, 새로운 표현의 장을 열어줄 수 있다.

- 창작 도구: AI 는 예술과 디자인에서 창의적인 작업을 지원하며, 새로운 형식의 컨텐츠 생성에 기여한다.

- 언어 번역: AI 기반 번역 도구는 언어 장벽을 허물고, 글로벌 커뮤니케이션을 촉진한다.

- AI 예술 작품: AI 가 생성한 예술 작품이 갤러리와 경매에서 주목받고 있다. 이는 예술 창작의 새로운 가능성을 열어준다. 문화 연구 보고서에 따르면, AI 기반 예술과 콘텐츠는 창작 과정의 혁신을 가져오며, 예술 시장에서 연평균 10% 성장을 지원할 것으로 보인다.

4) AI 에이전트 전략의 사회적 책임

AI 에이전트는 사회적 변화를 주도하는 과정에서 윤리적 책임을 다해야 한다. 이는 AI 가 긍정적인 방향으로 발전할 수 있도록 가이드라인을 제공하는 데 중점을 둔다.

- 책임 있는 AI 사용: AI 에이전트는 공정성과 투명성을 기반으로 설계되어야 하며, 사회적 불평등을 해소하는 방향으로 활용되어야 한다.

- 감시 및 규제: AI 기술의 악용을 방지하기 위한 규제와 모니터링 시스템을 마련해야 한다.

- AI 감시 체계: 여러 국가에서는 AI 에이전트의 행동을 모니터링하고 규제하기 위한 법적 프레임워크를 개발하고 있다.

IDC 의 보고서에 따르면, 책임 있는 AI 개발과 규제는 사용자의 신뢰성을 40% 이상 증가시키며, 이는 AI 의 장기적 성공에 중요하다.

AI 에이전트의 미래 사회에서의 역할 변화는 경제, 사회, 문화 전반에 걸친 혁신을 가져올 것이다. AI 에이전트 전략은 이러한 변화를 긍정적인 방향으로 이끌어가는 데 핵심적으로 작용할 것이다. 다양한 산업에서의 AI 응용은 새로운 기회를 창출하며, 인간의 삶의 질을 향상시키는 데 기여할 것이다. AI 기술은 윤리적 책임과 신뢰성을 기반으로 발전해야 하며, 이를 통해 더 나은 사회를 형성하는 중요한 도구가 될 것이다.

AI 와 인간의 조화로운 공존을 위해, 지속 가능한 발전을 추구하고, 혁신적인 솔루션을 제공하는 데 집중해야 한다. 이러한 노력을 통해 AI 는 인류의 미래에 긍정적인 영향을 미치고, 지속 가능한 사회를 위한 발전을 이끌어갈 것이다.